O CADERNO DOS MEUS PECADOS

Coleção **Clássicos de Espiritualidade**

- *Imitação de Cristo,* Tomas de Kempis
- *Confissões,* Santo Agostinho
- *Diário da alma,* João XXIII
- *Não morro... entro na vida: últimos colóquios,* Santa Teresinha
- *Conselhos e lembranças,* Santa Teresinha
- *Vida de Santo Agostinho,* Possídio
- *As cartas,* Santa Catarina de Sena
- *Confissões,* Santo Agostinho
- *Acídia: vírus que mata o amor,* São Gaspar Bertoni
- *O caderno dos meus pecados: autobiografia,* Santa Gemma Galgani
- *O livro do Mestre,* Rulman Merswin

SANTA GEMMA GALGANI

O CADERNO DOS MEUS PECADOS

Autobiografia

PAULUS

Título original:
Estasi – Diario – Autobiografia – Scritti vari di S. Gemma Galgani.
Postulazione dei Passionisti. Piazza SS. Giovanni e Paolo, 13 – 00184 –
Roma, Itália, 1958.

Tradução: *Amanda Monaco*

Apresentação e revisão: *Pe. José Carlos Pereira, CP*
Direção editorial: *Claudiano Avelino dos Santos*
Coordenação de revisão: *Tiago José Risi Leme*
Capa: *Paulo Cavalcante*
Foto da capa: *Enrico Giannini, 1901 - Domínio Público*
Editoração, impressão e acabamento: *PAULUS*

Dados Internacionais de Catalogação na Publicação (CIP)
Angélica Ilacqua CRB-8/7057

Galgani, Gemma, Santa, 1878-1903
O caderno dos meus pecados: autobiografia / Santa Gemma Galgani; tradução de Amanda Monaco. – São Paulo: Paulus, 2019. Coleção Clássicos de espiritualidade.

ISBN 978-85-349-4999-6
Título original: *Estasi – Diario – Autobiografia*

1. Galgani, Gemma, Santa, 1878-1903 - Autobiografia 2. Santos cristãos - Autobiografia
I. Título II. Monaco, Amanda

19-0788

CDD 922.22
CDU 929:235.3

Índice para catálogo sistemático:
1. Santos cristãos - Autobiografia

Seja um leitor preferencial **PAULUS**.
Cadastre-se e receba informações sobre nossos
lançamentos e nossas promoções: **paulus.com.br/cadastro**
Televendas: **(11) 3789-4000 / 0800 016 40 11**

1ª edição, 2019
5ª reimpressão, 2024

© PAULUS – 2019

Rua Francisco Cruz, 229 • 04117-091 – São Paulo (Brasil)
Tel.: (11) 5087-3700
paulus.com.br • editorial@paulus.com.br

ISBN 978-85-349-4999-6

Apresentação

Os relatos que você vai encontrar nesta obra de rara e sensível beleza, escrita com simplicidade, mas com muita profundidade e sinceridade de coração, são os reflexos claros das maravilhas da graça na alma dessa santa que viveu, no próprio corpo, as dores do Crucificado.

Santa Gemma Galgani escreveu a breve história de sua vida a pedido de seu diretor espiritual, padre Germano de Santo Estanislau, C.P. A princípio, ela mostrou certa resistência, mas compôs estes escritos por obediência e, por considerá-los confessionais, desejava que padre Germano os destruísse depois de lê-los, impedindo que outros tivessem acesso a eles.

Padre Germano tinha o objetivo de tomar conhecimento dos anos que ela tinha vivido antes de conhecê-lo. Ele estava intrigado com o que via naquela jovem que, já com características de santa, a cada dia se revelava de modo mais surpreendente nas suas relações com o transcendental. Gemma tinha dificuldade de falar de si mesma, e só o fazia por confissão, isto é, no sacramento penitencial. Assim, cada página desta autobiografia é uma espécie de confissão e, também, resultado de um esforço doloroso.

Assim, esta é uma obra quase penitencial, que Gemma considerava uma extensão de suas confissões, ou confissões gerais, por se tratar de um resgate de sua história de vida, de quedas e reerguimentos. Por essa razão, ela chamou a estes escritos *O caderno de meus pecados*.

Embora seu diretor espiritual não tivesse a pretensão de destruí-los, o Diabo intencionava fazê-lo, porque eram escritos que faziam bem à alma que ele deseja possuir. A Providência divina, porém, quis que esta obra fosse preservada e chegasse até nossos dias, vindo a contribuir grandemente com a vida espiritual de tantas pessoas que buscam beber na fonte da mística dessa santa, para se abastecer espiritualmente e vencer suas tentações.

Esta autobiografia de Gemma, escrita em forma de carta, tem uma história intrigante que vale a pena resgatar, mesmo que de modo breve, para entendermos melhor o seu valor espiritual. Gemma começou a escrevê-la em 17 de fevereiro de 1901 e a concluiu em 15 de maio do mesmo ano. O mais curioso da história desta autobiografia, escrita em tão pouco tempo, não é o fato de Santa Gemma ter mostrado resistência em escrevê-la, mas o de ter este caderno incomodado o Diabo, que tentou destruí-lo no fogo do inferno. Podemos nos perguntar: por que esta obra tanto incomodou o Diabo? Talvez pelo fato de ser uma das mais completas obras de santidade, que colocava Gemma mais perto de Deus.

Segundo conta padre Germano, em seu livro sobre a vida de Santa Gemma Galgani, o Diabo estava tão enfurecido com estes escritos que usou de todos os artifícios para destruí-los. Quando ela concluiu os manuscritos, padre Germano pediu que os entregasse primeiro aos cuidados de sua mãe adotiva, a senhora Cecília Giannini, para que os guardasse, esperando a oportunidade de entregá-los. Passados alguns dias, Gemma viu o Diabo passar, rindo, pela janela do quarto onde ficava a gaveta na qual estavam guardados os manuscritos, e depois desaparecer no ar. Acostumada com tais aparições, como vemos em seu diário, ela não suspeitou de nada. Todavia, o Diabo retornou logo depois para molestá-la, como acontecia frequentemente, mas não teve êxito. Furioso por ter falhado, o Diabo saiu rangendo os dentes e declarando exultante: "Guerra, guerra, o teu livro está em minhas mãos". Ele havia roubado os escritos da gaveta e agora estava de posse deles.

Ao perceber que seus escritos estavam nas mãos do Diabo, Gemma escreveu imediatamente a seu diretor, contando-lhe o ocorrido. Contou também o fato a sua benfeitora, Cecília Giannini, a quem devia obediência, tendo a obrigação de partilhar de todos os acontecimentos extraordinários que lhe sucedessem. Elas foram até o quarto, abriram a gaveta e viram que os escritos já não estavam ali. Imediatamente, elas comunicaram o fato ao padre Germano, que ficou profundamente consternado pela perda do tesouro. Padre Germano não sabia o que fazer e foi rezar junto ao túmulo de São Gabriel da Virgem Dolorosa, amigo espiritual de Gemma Galgani, buscando uma luz diante do ocorrido. Em oração, uma ideia lhe veio à mente: decidiu que exorcizaria o demônio para que devolvesse os manuscritos, caso ele os tivesse realmente roubado, e assim o fez. Voltou para o convento, tomou a estola, o ritual do exorcismo e água benta, e retornou para junto do túmulo do já falecido servo de Deus, Gabriel da Virgem Dolorosa, e lá, apesar de estar bem distante de Lucca, onde os manuscritos haviam sido roubados, pronunciou o rito de exorcismo na sua forma regular.

Padre Germano diz que Deus ouviu suas preces e, na mesma hora, os escritos foram devolvidos ao lugar de onde haviam sidos retirados alguns dias antes. No caderno estavam as provas de que o Diabo tentara destruí-lo: as páginas estavam chamuscadas de cima a baixo, e queimadas em algumas partes, como se cada uma delas tivesse sido exposta ao fogo separadamente. No entanto, não estavam totalmente destruídas, a ponto de se perderem os escritos. Os originais desta autobiografia, com as páginas chamuscadas, encontram-se protegidos em uma redoma de vidro, no museu da Casa Geral dos padres e religiosos passionistas, em Roma.

Assim, esta obra de rara espiritualidade, que adentrou o inferno, agora possibilita que, por seu intermédio, vislumbremos o céu, pois é uma obra que faz bem à alma, como previu padre Germano. Depois de tê-la recuperado, padre Germano declarou: "Este documento, tendo assim passado pelo fogo do inferno, está em minhas mãos. É verdadeiramente um tesouro, como já disse, com informações muito importantes que nunca teriam sido reveladas, caso tivesse sido destruído".

Este tesouro chega a nossas mãos graças à intervenção divina e a tantas pessoas que possibilitaram que esta obra fosse publicada em língua portuguesa (tradutores, organizadores, revisores, editores etc.). Que ela sirva para edificar a vida espiritual de todos os leitores, sejam eles devotos de Santa Gemma ou não.

Quem desejar conhecer Santa Gemma Galgani por ela mesma deve ler esta obra. Aqui não estão fatos que outros contaram sobre ela, mas que ela mesma revelou sobre si. Daí a importância destes escritos, pois são raras as obras escritas pelos próprios santos. Aqui estão suas dores e alegrias, mais dores que alegrias. Em se tratando de Santa Gemma Galgani, porém, dor é alegria, porque, a exemplo do Crucificado, a maior alegria, que é a ressurreição, foi resultado da maior dor, a cruz.

Pe. José Carlos Pereira, CP

1. Ao meu papai,[1]
que o queime imediatamente[2]

Meu papai,

Escute: eu gostaria de fazer uma confissão geral dos meus pecados sem adicionar mais nada, mas o anjo do Senhor me repreendeu, dizendo-me que obedeça e faça um resumo de tudo o que me aconteceu na vida, coisas boas e ruins.

Que cansaço, meu pai, obedecer a isto! Porém, preste atenção: o senhor o leia e releia quantas vezes quiser, mas que ninguém mais além do senhor o leia, e depois o queime imediatamente. Entendeu?

O anjo me prometeu que me ajudará e me fará lembrar de todas as coisas; porque, isto lhe digo claramente, chorei também, porque não queria fazer isto: apavorava-me a ideia de lembrar-me de tudo, mas o anjo me garantiu que me ajudará.

---

[1] N.T.: Santa Gemma utiliza o termo *Babbo*, termo utilizado apenas na Toscana (onde nasceu e viveu a Santa) e Sardenha para se referir a um padre. No restante da Itália, no entanto, *babbo* é um termo carinhoso para se referir ao pai, equivalente a papai em português. Isso causa um pouco de confusão no texto, dificultando saber se se trata do pai biológico ou do padre Germano.

[2] Esta biografia, escrita em forma de carta ao padre Germano, é a chamada confissão geral, da qual a Santa fala diversas vezes em suas cartas (ver cartas 45ª, 46ª, 55ª, 71ª, 73ª ao padre Germano). O termo confissão geral foi utilizado muito sabiamente pelo diretor para induzir a sempre humilde Gemma a contar, sem restrições, os tesouros das graças com as quais Deus a havia enriquecido; portanto, mais que uma simples confissão dos pecados, ele queria que ela escrevesse um compêndio de toda a sua vida, uma breve autobiografia. Com muita dificuldade, a Santa se põe a escrever (conforme carta 45ª) e, como ela mesma disse no início, mesmo que ela quisesse fazer sua "confissão geral dos pecados, sem adicionar mais nada", precisou, no entanto, estimulada pelo anjo da guarda do padre Germano (conforme carta 46ª), fazer um "resumo de tudo o que me aconteceu na vida, coisas boas e ruins". Cumprindo plenamente o desejo de seu pai espiritual, a

E, depois, penso também, meu papai: quando o senhor tiver lido estas palavras e ouvido os pecados, ficará bravo e não mais quererá ser meu papai; agora se... espero que o queira ser sempre.

E o senhor, meu papai, aprova aquilo que o anjo me disse, de falar de toda a minha vida? É uma ordem sua e, depois do que me disse o anjo, me dou conta de que são coisas que meu papai já tem na mente e no coração. Escrevendo tudo, as coisas boas e ruins, poderá entender melhor como eu tenho sido ruim e os outros têm sido tão bons comigo; o quanto me mostrei ingrata com Jesus, e o quanto não quis escutar os bons conselhos dos pais e tutores.

Eis-me a serviço, meu papai. Viva Jesus!

Santa nunca quis de maneira alguma escrever uma verdadeira e autêntica confissão geral; o que se depreende de suas palavras "Eu ainda teria tanto pra contar, mas se Jesus quiser, direi somente a Ele (em confissão)". Devemos então concluir que as coisas que ela contou nesta autobiografia, não intencionava dizer sob segredo de confissão. É verdade que queria que o padre Germano queimasse prontamente a carta, depois de tê-la lido, mas tal recomendação, sugerida por sua profunda humildade, e a qual felizmente não se levou a cabo, a pedia também para suas cartas e outros escritos (ver carta 16ª ao padre Germano e carta 13ª ao monsenhor Volpi). Não obstante, dada a intenção da carta, omitiremos algumas coisas. Nossa Santa começou sua autobiografia no dia 17 de fevereiro de 1901 (conforme carta 46ª ao padre Germano) e a terminou por volta de 15 de maio do mesmo ano (carta da sra. Cecília ao padre Germano, em 18 de maio de 1901), narrando com a vivacidade e simplicidade de sempre as várias histórias da sua vida, das primeiras recordações até 1900: 93 páginas de escrita em um caderno tornado célebre pela ação diabólica. Sabe-se, de fato, que, raptado pelo demônio no começo de julho (conforme carta 71ª ao padre Germano), depois de diversos exorcismos feitos pelo padre Germano na Tarquínia e na Ilha da Pedra Grande, sobre a sepultura de São Gabriel, foi devolvido ao lugar, "mas bem curtido", como diz a própria Santa (carta 73ª ao padre Germano); pois todas as páginas escritas ficaram chamuscadas e em parte queimadas pelo fogo; as últimas, em branco, no entanto, voltaram ilesas. Este precioso documento está guardado pelo Postulado Passionista (la Postulazione dei Passionisti). Suas palavras iniciais: "Ao meu papai, que o queime imediatamente" foram escritas sobre a capa do caderno.

2. Primeiras lembranças – Mamãe

A primeira coisa de que me recordo da minha mamãe, quando eu era pequena (com menos de sete anos), é que ela frequentemente me pegava no colo, e, por várias vezes, ao fazê-lo, chorava e me repetia: "Eu rezei tanto para que Jesus me desse uma menina; consolou-me, é verdade, mas muito tarde. Eu estou doente – me repetia – e devo morrer, deverei deixar-te; se eu pudesse te levar comigo! Gostarias?".

Eu entendia bem pouco e chorava, porque via a mamãe chorar. "E para onde irá?", lhe perguntava. "Ao Paraíso, com Jesus, com os anjos...".

Foi a minha mamãe, papai, que me fez desde pequena desejar o Paraíso, e se ainda o desejo e quero ir para lá, escuto em respostas belas broncas e um belo não.[1]

À mamãe eu respondia que sim, e me lembro de que, depois de repetir-me muitas vezes a mesma coisa, ou seja, sobre levar-me ao Paraíso, eu não queria mais separar-me dela, não saía mais de seu quarto. [...]

O próprio médico até proibiu de nos aproximarmos de sua cama, mas para mim toda ordem era inútil, eu não obedecia. Toda noite, antes de ir para a cama, ia até ela para rezar; ajoelhava-me em sua cabeceira e rezava.

---

[1] "Belas broncas e um belo não" da parte do confessor e do padre Germano, que não queriam autorizá-la a pedir a Jesus para morrer.

Certa noite, às orações de sempre, me pediu que rezasse também um *De profundis* pelas almas do Purgatório, e cinco *Glórias* às chagas de Jesus. De fato os rezei, mas como era geralmente somente eu quem rezava, avoada e sem atenção (em toda a minha vida, nunca prestei atenção às orações), fiz uma manha, reclamando com a mamãe que era muita coisa e que eu não estava com vontade. A mamãe, indulgente, nas demais noites foi mais breve.

3. A CRISMA (1885) – A MAMÃE NO PARAÍSO (1886)

Aproximava-se, no entanto, a época em que eu deveria fazer a crisma. Resolveu me ensinar um pouco, porque eu não sabia nada; mas eu, má, não queria sair do seu quarto, e fui obrigada a receber uma professora de doutrina toda tarde em casa, sempre sob o olhar da mamãe.[1]

No dia 26 de maio de 1885 foi feita a crisma,[2] mas chorando, porque depois de acompanhar a celebração quis ir à Missa, e eu tinha medo de que a mamãe fosse embora (morresse) sem levar-me também com ela.

Ouvi melhor à Missa rezando por ela. De repente uma voz no coração me disse: "Quer me dar a mamãe para mim?".[3] "Sim – respondi –, mas se levar também a mim". "Não – me repetiu a mesma voz –, dê-me a sua mamãe de bom grado.

---

[1] Esta primeira catequista de Santa Gemma era a boa Isabella Bastiani. No processo apostólico da Santa, ela nos conta com quanto empenho e dedicação a pequena Gemma aprendia, com qual vontade ouvia os santos discursos, com qual devoção dizia suas orações em casa e na igreja. Lembra-se, de modo particular, de tê-la ensinado a meditar, especialmente sobre a Paixão de Jesus, e a procurar o anjo da Guarda, para se proteger e se livrar do demônio (*Summ. super virtut.*, n. 2, § 29; n. 5, § 83-85).

[2] No manuscrito, a data não é exata: falta o dia e é indicado o ano de 1888. Do registro de crismados da Paróquia São Leonardo in Borghi, em Lucca, à qual então pertencia Gemma, consta que recebeu a crisma no dia 26 de maio de 1885, das mãos de sua excelência dom Nicola Ghilardi, arcebispo de Lucca, na igreja de São Miguel in Foro; foi sua madrinha a tia Elena Galgani. Aquele dia era terça-feira, após o Pentecostes.

[3] É a primeira alocução celeste da qual faz menção a Santa, que então tinha sete anos e dois meses.

Você, por enquanto, deve ficar com o papai. Eu a levarei ao céu, sabe? Você me dá a mamãe de bom grado?"'. Fui obrigada a responder que sim. Terminada a Missa, corri para casa. Meu Deus! Olhava para a mamãe e chorava; não podia me segurar.

Passaram-se outros dois meses; não saía nunca de perto dela. Finalmente, então, o papai, que temia que eu morresse antes dela, um dia me levou embora à força, e me levou a um irmão da mamãe, não mais em Lucca.[4]

Papai, meu pai, agora sim... Que tormento! Não vi mais ninguém, nem o papai, nem os irmãos. Vim saber, depois, que a mamãe morreu no dia 17 de setembro daquele ano.[5]

---

[4] Foi levada a San Gennaro, junto ao tio Antônio Landi.
[5] Do ano de 1886.

4. Em San Gennaro, com o tio

De fato, mudei de vida morando com o tio; conheci até uma tia, que não se parecia em nada com a mamãe: boa, religiosa, mas queria saber da Igreja até certo ponto.

Agora sim eu sentia saudades do tempo em que a mamãe me fazia rezar tanto! Todo o tempo que estive com ela, não foi possível confessar-me (o que eu queria tanto); havia me confessado apenas sete vezes, e queria ter podido ir todos os dias, depois que morreu a mamãe (depois da crisma, mamãe me fez ir toda semana).

A tia decidiu me criar como filha, mas depois de saber de meu irmão falecido,[1] não quis de forma alguma, e no dia de Natal retornei à minha família, com o papai, os irmãos, duas irmãzinhas[2] (uma que eu não conhecia, porque foi levada embora assim que nasceu) e dois empregados.

Que consolo provei em retornar a eles e sair das mãos da tia! Ela me queria um bem infinito,[3] e eu, nenhunzinho.[4] O papai agora me mandou à escola no Instituto Santa Zita (eram monjas).[5]

---

[1] Seu irmão Gino, que tinha dois anos a mais que Gemma e morreu clérigo em 1894.

[2] Os irmãos Guido, Ettore, Gino, Antônio; as irmãs Ângela e Giulia.

[3] A Santa, conforme já vimos, usa frequentemente o adjetivo "infinito" no sentido de grandioso, indescritível.

[4] N.T.: Santa Gemma era muito jovem e se utilizou de uma linguagem mais coloquial nestes seus escritos.

[5] As Servas do Espírito Santo (*Le Oblate dello Spirito Santo*), também chamadas Freiras de Santa Zita ou Zitinas, fundadas pela Venerável Elena Guerra.

No tempo em que estive com a tia, fui sempre má. Ela tinha um filhinho que me fazia desrespeitos e ficava pondo as mãos em mim. Um dia que ele estava a cavalo (tinha quinze anos), a tia me mandou que levasse não sei o que para cobrir-se. Levei-lho, e ele me deu um beliscão. Dei-lhe então um empurrão forte, e ele caiu de lá de cima; machucou a cabeça. A tia me fez ficar com as mãos atrás das costas por um dia inteiro. Revoltada, fiquei brava, lhe respondi, lhe disse muitas coisas, e disse até que me vingaria, mas não o fiz.

5. Na escola das Zitinas – Primeira comunhão (1887)

Comecei a ir à escola das monjas: estava no Paraíso. Mostrei uma vontade imediata de fazer a primeira comunhão, mas me acharam tão má e ignorante, que ficaram atordoadas.

Começaram a me ensinar, a dar-me tantos bons conselhos, mas eu sempre me tornava mais má. Tinha apenas a vontade de fazer logo a santíssima comunhão, e o desejo era tão forte, que o concederam-me bem rápido.

Era costume que as monjas fizessem a sagrada comunhão no mês de junho. Tinha chegado o tempo, e eu devia pedir ao papai permissão para entrar no convento, por um tempo. O papai, zangado, não me permitiu nada, mas eu, que conhecia um jeitinho de fazê-lo conceder-me tudo, fiz o meu jeitinho e consegui rapidinho. (Toda vez que o papai me via chorar, fazia tudo o que eu queria.) Chorei, pois de outra forma não conseguiria nada. De noite, me deu a autorização, de manhã bem cedo fui para o convento e lá fiquei por quinze dias. Nesse período, não vi mais ninguém da família. Mas como eu estava bem! Que paraíso, meu papai!

Assim que fui para o convento, e me encontrei feliz, corri agradecer a Jesus na igrejinha, e rezei fervorosamente para preparar-me bem à sagrada comunhão.

Mas eu tinha outro desejo além daquele: a mamãe, quando eu era pequenina, me mostrava o Crucifixo e me dizia que [Jesus] tinha morrido na cruz pelos homens. Mais tarde, então, ouvi a mesma coisa dos professores, mas nunca tinha entendido, e desejei saber de coração toda a vida de Jesus e sua Paixão. Expus esse desejo à minha professora, e ela começou, dia após dia, a me explicar um pouco. Para isso, escolhia uma hora em que todas as outras crianças estivessem dormindo, e o fazia, acredito eu, às escondidas da madre superiora.

Certa tarde, explicou-me um pouco da crucificação, da coroação, dos sofrimentos todos de Jesus. Explicou-me tão bem, de modo tão real, senti tanta dor e compaixão, que me veio naquele instante uma febre fortíssima, de forma que, no dia seguinte inteiro, precisei ficar deitada. Depois desse dia, a professora subitamente parou com os ensinamentos.[1]

Deixaram-me realmente irritada aquelas monjas: eu queria avisar ao papai que tinha tido febre; mas elas pagaram caro, pois a febre pegou nelas, em mim, e no convento inteiro. Isso aconteceu especialmente nos dez dias dos exercícios[2].[3]

---

[1] A boa mestra, que bem sabia contar à pequena Gemma a Paixão de Jesus, era a irmã Camilla Vagliensi.

[2] N.T.: o termo utilizado foi *Esercizi Spiritualli*, que quer dizer *Exercícios Espirituais*. Trata-se de uma prática antiga, introduzida por Santo Inácio de Loyola, de recolhimento, meditação e silêncio.

[3] Como a Santa disse que ficou no convento das Zitinas por quinze dias, precisamos supor que, terminados os dez dias de exercícios e feita a primeira comunhão, ficou por mais cinco dias. Isso é confirmado pelo monsenhor Volpi que escreveu: "As meninas que faziam os Santíssimos Exercícios ficavam no instituto por mais quatro ou cinco dias, depois da primeira comunhão".

Entrei com outras onze crianças nos santos exercícios, no dia (...) de junho,[4] que foram pregados pelo Sr. Raffaele Cianetti.[5] Todas as crianças se esforçavam para se preparar a receber Jesus; apenas eu, entre tantas, era a mais negligente e distraída: nem pensava em mudar de vida, escutava as pregações, mas rapidamente as esquecia.

Frequentemente, aliás, todo dia, aquele bom pregador dizia: "Quem se alimenta[6] de Jesus[7] viverá a Sua vida". Essas palavras me enchiam de conforto, e pensava comigo mesma: "Então quando Jesus estiver comigo, eu não viverei mais em mim, porque Jesus viverá em mim". E morria de vontade de chegar o momento de poder dizer essas palavras. Às vezes, ao meditar essas palavras, passava noites inteiras consumindo esse desejo.

Chegou, finalmente, o dia tão esperado. No dia seguinte, escrevi estas poucas palavras ao papai:

---

[4] A Santa também aqui omite o dia e escreve, sem querer, "março". Se ela, de fato, fez a primeira comunhão no domingo, dia 19 de junho de 1887, depois de dez dias de exercícios espirituais, deve ter entrado nas Zitinas no dia 9 ou 10 de junho. O padre Germano também disse que Gemma fez a primeira comunhão no domingo seguinte ao Sagrado Coração de Jesus, mas por erro involuntário, pensamos, escreveu a data de 17 de junho: naquele ano, na realidade, em 1887, o dia 17 de junho era sexta-feira, festa do Sagrado Coração de Jesus.

[5] Zeloso pároco de São Leonardo in Borghi, de Lucca, Dom Rafaelle Cianetti fala assim da infância de Gemma, no processo ordinário de Lucca: "Eu a conheci [Gemma] porque, com um ano de idade, ela veio à minha paróquia, como consta em meus registros paroquiais, e lá ficou até os oito anos de idade. Durante o tempo em que esteve na minha paróquia, frequentava assiduamente a minha igreja paroquial com sua mãe, que era uma santa senhora. Pelo que pude conhecer, era uma menina de poucas palavras, tinha um comportamento a edificar quem quer que a visse; era um comportamento entre o sério e o doce".

[6] N.T.: Santa Gemma se utiliza do verbo *cibare*, termo coloquial para "comer".

[7] A santa escreve: *Chi si ciba della vita di Gesú* (quem come da vida de Jesus).

Querido papai,

Estamos na véspera do dia da primeira comunhão, dia de contentamento infinito para mim. Escrevo-lhe estas poucas linhas para lembrá-lo de meu carinho e para que reze a Jesus, para que, na primeira vez que vier a mim, encontre-me disposta a receber toda aquela graça para a qual fui preparada.

Peço-lhe perdão por todo o desgosto e por tanta desobediência que lhe fiz, e peço-lhe que esta noite queira esquecer tudo isso. Pedindo sua bênção, me despeço.

Com carinho, sua filha Gemma.

Preparei-me para minha confissão geral tão cansada daquelas boas freiras, que o monsenhor Volpi[8] a fez em três partes. Terminei de fazê-la no sábado, véspera do dia feliz.

Finalmente chegou a manhã do domingo. Levantei-me cedo, corri para Jesus pela primeira vez.[9] Foi, enfim, realizado o meu desejo. Entendi então, pela primeira vez, a promessa de Jesus: "Quem se alimenta de mim, viverá a minha vida".

Meu papai, o que se passou entre mim e Jesus naquele momento, não sei expressar. Jesus se fez sentir fortemente na minha pobre alma. Naquele momento, entendi que as

---

[8] Monsenhor Giovanni Volpi, promovido a bispo em 1897, foi o confessor ordinário de nossa Santa até a morte.

[9] "Pela primeira vez" naquele dia, ou seja, para recebê-lo pela primeira vez.

delícias do céu não são como as da terra. Senti-me tomada pelo desejo de manter continuamente essa união com meu Deus. Sentia-me sempre mais desprendida do mundo e sempre mais disposta ao recolhimento. Foi nessa mesma manhã que Jesus me deu o grande desejo de ser religiosa.

6. Os propósitos da primeira comunhão

Antes de sair do convento, propus a mim mesma certas metas com relação às regras da minha vida:

a) Confessarei e comunicarei, a cada vez, como se fosse a última;
b) Visitarei frequentemente Jesus sacramentado, especialmente quando estiver aflita;
c) Vou me preparar, a cada festa de Nossa Senhora, com uma penitência, e toda noite pedirei a bênção à Mamãe celeste;
d) Quero estar sempre na presença de Deus;
e) A cada vez que soar o relógio, repetirei três vezes: "Meu Jesus, misericórdia".

Quis adicionar mais algumas, mas a professora não me permitiu; e ela tinha razão, pois, depois de voltar para minha família, esqueci-me por cerca de um ano das metas estabelecidas, dos bons conselhos, e fiquei pior do que era antes. Continuei a ir à escola das monjas. Por um tempo, elas estiveram contentes. Duas ou três vezes por semana eu fazia a comunhão: Jesus se fazia sentir sempre mais. Mais de uma vez fez-me provar um grande conforto, mas como logo o deixei, comecei a me tornar soberba, mais desobediente do que antes, mau exemplo às colegas, escândalo para todos.

Na escola, não se passava um dia sem que eu fosse punida, não sabia as lições, e faltou pouco para que eu fosse expulsa.

Em casa, não dava paz a ninguém, todo dia queria ir passear, sempre com roupas novas, que meu pobre pai me proveu por bastante tempo. Toda manhã e toda noite, eu deixava de fazer minhas orações habituais;[1] em meio a todos esses pecados, nunca me esqueci de recitar, todo dia, três Ave-Marias, com as mãos sob os joelhos (como havia me ensinado mamãe, para que Jesus me livrasse a cada dia dos pecados contra a Santa Pureza).

---

[1] O leitor, habituado com as cartas e com os êxtases de Santa Gemma, ao ouvi-la falar sempre de seus graves pecados, sabe bem qual peso deve dar a esse linguajar, que deve ser interpretado segundo o vocabulário dos santos.

7. Entre os pobres – Nova conversão

Nesse espaço de tempo, que durou quase um ano inteiro, a única coisa que havia me restado era a caridade com os pobres. Toda vez que saía de casa, queria sempre dinheiro do papai, e se às vezes ele me negava, levava de casa pão, farinha e outras coisas; e o próprio Deus queria que eu o encontrasse frequentemente [no pobre], pois eram três ou quatro a cada vez que saía de casa. Àqueles que vinham pedir à porta, dava-lhes roupas e tudo o que tinha.

Recebi uma proibição do confessor, e não o fiz mais. Por esse meio, Jesus operou em mim uma nova conversão. O papai não me dava mais nenhum centavo, eu não podia levar mais nada de casa e, a cada vez que saía, não encontrava nenhum pobre, e todos corriam de mim. Não podia mais dar nada para eles, e isso era uma dor que me fazia chorar muito. Por isso parei de sair de casa sem necessidade, parei de enjoar das roupas e de todas as minhas coisas.

Tentei fazer de novo a confissão geral, mas não fui autorizada.[1] Confessei-me, no entanto, de tudo, e Jesus

---

[1] "Mas não fui autorizada": reparem que essas palavras são uma confirmação da inocência de Gemma. Se o santo e prudentíssimo confessor, monsenhor Volpi, não julgou oportuna uma nova confissão geral, isso nos faz pensar que os graves pecados, dos quais ela se acusa mais acima, os eram somente aos seus olhos iluminados, e que, por isso, a sua nova conversão não foi senão um novo salto rumo à santidade.

deu-me dores tão fortes que ainda as sinto. Pedi perdão às professoras, porque a elas, acima de tudo, havia causado desgosto.

Essa mudança não agradou ao papai e aos irmãos, especialmente a um irmão que muitas vezes empurrei, porque toda manhã queria ir à Missa a tempo. Mas dali em diante, Jesus me ajudou mais do que nunca.

8. Em família com as tias

Por esse tempo, tendo morrido o vovô e o tio, duas tias por parte de pai vieram estar com nossa família.[1] Eram tias boas, religiosas, carinhosas, mas não era o carinho terno da mamãe. Levavam-nos à igreja quase todos os dias e não paravam de nos ensinar coisas da religião.

Entre meus irmãos e irmãs, havia alguns mais bonzinhos e outros mais malvados: o maior, o quarto a morrer,[2] e a menorzinha Giulia eram os mais bonzinhos, e, por isso, mais amados pelas tias; mas os outros, que tinham aprendido dos meus maus exemplos, tinham muita vivacidade e, portanto, eram mais negligenciados. Por isso nunca faltou nada a ninguém.

A pior de todos sempre fui eu, e quem sabe que contas deverei prestar ao Senhor pelo mau exemplo dado aos meus irmãos e colegas! As tias sempre corrigiam todas as minhas faltas, mas eu não lhes respondia senão com arrogância, e tinham para mim apenas respostas duras.

Frequentemente, como já disse, Jesus usou aquela estratégia de não poder mais dar esmola para me converter. Comecei a pensar, então, na grande ofensa a Jesus que eram meus pecados. Comecei a estudar, a trabalhar, e as professoras

---

[1] As duas tias: Elisa e Elena Galgani.
[2] Gino era o quarto, contando o primogênito Carlo, que tinha morrido havia seis anos em 1875, três anos antes de Gemma nascer.

continuaram a me querer bem. O único defeito pelo qual recebia fortes castigos e broncas[3] era a soberba. A professora frequentemente me chamava pelo apelido de "a soberba".

Sim, infelizmente eu tinha esse pecado, mas Jesus sabe se eu sabia ou não. Mais de uma vez fui de joelhos à professora, a todos da escola, à madre superiora, pedir perdão por esse pecado, mas depois, de noite, e também por tantas madrugadas, chorava sozinha: eu não conhecia esse meu pecado, e muitas vezes por dia caía e recaía nele, sem perceber.

---

[3] "Broncas", ou seja, reprovações e gritos. N.T.: a Santa utiliza a palavra *contese*, que, por sua informalidade, foi aqui traduzida como "bronca".

9. A boa professora

A professora, que na época da catequese da santa comunhão tinha me ensinado sobre a Paixão, certo dia (talvez porque via alguma mudança em mim) tentou novamente me ensinar. Foi, porém, bem devagar. Aliás, repetia-me com frequência: "Minha Gemma, você é de Jesus, e deve ser toda Sua. Seja boa: Jesus está contente com você, mas ainda precisa de tanta ajuda. A meditação sobre a Paixão deve ser para você a coisa mais preciosa. Se eu pudesse tê-la sempre comigo!".

Aquela professora boa havia adivinhado meu pensamento. Outras vezes me repetia: "Gemma, quantas coisas lhe deu Jesus!". Eu, que não entendia nada disso tudo, ficava como muda, mas às vezes sentia a necessidade de uma palavra, (e lhe digo) de um carinho da minha querida professora, e corria a procurá-la. Às vezes ela estava séria. Eu, quando a via assim, chorava, e ela acabava pegando-me no colo (mesmo que tivesse onze anos) e acariciando-me. Por fim, acabei querendo-lhe tão bem, que a chamava de minha mamãe.

10. Exercícios espirituais de 1891[1]

A cada dois anos, as monjas faziam exercícios espirituais também para alunos externos: não parecia verdade que eu poderia de novo me concentrar com Jesus! Dessa vez, no entanto, fui sozinha, sem nenhuma ajuda. As monjas os faziam por conta própria e as meninas também.

Compreendi bem que Jesus me dava essa oportunidade para que eu me conhecesse melhor, e para que eu me purificasse melhor e o agradasse mais.

Lembro-me do que aquele bom padre dizia: "Lembremo-nos de que nós não somos nada, Deus é tudo, Deus é nosso Criador, tudo o que temos vem de Deus".

Depois de alguns dias, lembro-me de que o pregador nos fez meditar sobre o pecado. Agora que me conhece verdadeiramente, meu papai, sabe que eu era digna do desprezo de todos: via-me tão ingrata ao meu Deus, e via-me recoberta de tantos pecados!

Fizemos depois a meditação sobre o inferno, do qual me reconheci merecedora, e nessa meditação estabeleci esta meta: "Farei, mesmo durante o dia, atos de contrição, especialmente quando tiver cometido alguma falta".

---

[1] Exercícios feitos no ano de 1891, no qual Gemma devia mudar e entregar-se inteiramente a Jesus.

Nos últimos dias dos exercícios, se falou sobre os exemplos de humildade, doçura, obediência e paciência (de Jesus), e dessa meditação estabeleci mais duas metas:

a) Visitar diariamente Jesus Sacramentado, e falar-lhe mais com o coração do que com a língua;
b) Farei o máximo esforço para não falar de coisas irrelevantes, mas sim de coisas celestes.

Terminaram os exercícios e então obtive [permissão] do confessor para fazer a comunhão três vezes por semana e me confessar também três vezes, o que durou por cerca de três ou quatro anos, até 1895.

11. Meditando a Paixão de Jesus

Continuei a ir à escola todos os dias, mas o desejo de receber Jesus e conhecer sua Paixão crescia em mim, [tanto] que consegui da minha professora que, toda vez que eu tirasse 10 num trabalho, ou lição, ela me falaria da Paixão por uma hora inteira. Eu não poderia querer mais nada: todos os dias eu tirava 10 e todos os dias ouvia a explicação sobre um aspecto da Paixão. Várias vezes, refletindo sobre os meus pecados e sobre minha ingratidão com Jesus, no mesmo instante eu começava a chorar.

Foi durante esses quatro anos que essa boa professora me ensinou também a fazer algumas pequenas penitências para Jesus: a primeira foi portar uma corda na cintura, e muitas outras; mas, por mais que as fizesse, nunca obtive o consentimento de meu confessor. Em outro momento, ela me ensinou a mortificar os olhos e a língua; consegui me tornar melhor, mas com muito esforço.

Essa boa professora morreu depois de estar comigo por seis anos;[1] passei à direção de outra, tão boa quanto a anterior; mas também esta reclamava muito de mim pelo terrível pecado da soberba.[2]

---

[1] Um erro de memória, talvez: se de fato a irmã Camilla Vagliensi morreu em março de 1888, Gemma, que começou a frequentar o instituto de Santa Zita em 1887, só pode tê-la tido como professora por um ano.

[2] A nova professora era a irmã Giulia Sestini.

Sob sua direção, comecei a sentir mais vontade de rezar. Todas as tardes, assim que saía da escola, ia para casa, me fechava em um quarto e recitava o Rosário inteiro de joelhos, e muitas vezes à noite, por cerca de um quarto de hora, levantava-me e pedia a Jesus pela minha pobre alma.

12. A preferida do papai – O irmão Gino

As tias e os irmãos pouco se preocupavam comigo: me deixavam fazer aquilo que tivesse vontade, porque já sabiam o quanto eu era ruim. O papai, no entanto, se alegrava comigo em tudo; isso me dizia frequentemente (o que muitas vezes me fazia chorar): "Eu só tenho dois filhos, Gino e Gemma".

Falava assim na frente de todos os outros, e para dizer a verdade nós éramos um pouco malqueridos pelos outros da casa.

Eu mesma amava-o [Gino] mais que todos: estávamos sempre juntos; nas férias brincávamos muito de fazer altarezinhos, festas etc. Estávamos sempre sozinhos. Mostrou intenção, quando maiorzinho, de ser padre; foi então mandado ao seminário, e foi vestido, mas poucos anos depois morreu.[1]

Quando ele ficou de cama, não queria que eu saísse de perto dele. O médico já o tinha desenganado. Entristecia-me tanto que ele viesse a morrer, que, para também eu morrer, passei a usar todas as suas coisas; e faltou pouco para eu morrer de verdade, pois um mês depois de ele ter morrido, eu fiquei gravemente doente.

Não posso descrever todo o cuidado que todos tinham [por mim], especialmente o papai; e mais de uma vez o vi chorar e pedir a Jesus que morresse em meu lugar. Ele me deu todos os remédios, e depois de três meses eu sarei.

---

[1] Morreu em setembro de 1894.

13. Adeus à escola – Os ornamentos de uma esposa do Crucificado

O médico, então, proibiu-me de estudar, e saí da escola. Diversas vezes a superiora e as professoras mandaram me chamar para que ficasse com elas, mas o papai não queria mais me mandar. Todos os dias levava-me para passear; tudo o que eu quisesse, ele me dava, e eu comecei de novo a abusar. Comungava três ou quatro vezes na semana, e Jesus, mesmo que eu fosse tão má, vinha, ficava comigo, me falava muitas coisas.

Certa vez, lembro-me muito bem, tinham me dado de presente um relógio de ouro com corrente; eu, ambiciosa que era, não via a hora de usá-lo e sair para passear (comecei então, papai querido, a fantasiar). Saí, de fato. Quando voltei e fui me despir, vi um anjo (que reconheci como o meu anjo), que estava sério e disse: "Lembre-se de que os ornamentos preciosos com os quais se enfeita uma esposa de um Rei Crucificado não devem ser outros que não os espinhos e a cruz".

Não contei essas palavras nem para meu confessor, e agora as disse pela primeira vez. Aquelas palavras me deixaram com medo, assim como aquele anjo me deixou com medo; mas pouco depois, refletindo sobre as palavras ditas, sem que eu tivesse entendido nada, me fiz esta proposta: "Proponho, por amor a Jesus e para o seu agrado, não usar mais nem falar sobre coisas de vaidade".

Eu usava um anel no dedo: tirei também este, e desse dia em diante não tive mais nada.

Propus-me, então (porque Jesus agora me dava a sua luz sobre eu ser religiosa), mudar de vida; e fiz isso em uma boa hora, porque estava para começar o ano de 1896.[1] Escrevi em um livrinho:

Neste novo ano, me proponho a começar uma vida nova. O que me acontecerá neste ano, eu não sei. Abandono-me em vós, meu Deus. Todos os meus desejos,[2] todos os meus cuidados serão todos para vós. Sinto-me fraca, ó Jesus, mas com vossa ajuda espero e decido viver de outra forma, ou seja, mais próxima de vós.

---

[1] A Santa escreve 1897, mas sendo este o ano que precede a morte do pai, deve ler-se 1896.

[2] Gemma escreve *inspirazioni*. N.T.: a palavra apresentada no texto em italiano é *aspirazioni*.

14. Desejo do céu

Desde o momento em que a mamãe me inspirou o desejo do Paraíso, sempre (mesmo em meio a tantos pecados) o desejei ardentemente, e se Deus me desse a escolha, eu teria preferido retirar-me de meu corpo e voar para o céu. Cada vez que eu tinha febre e me sentia mal, era para mim um consolo; mas era um sofrimento quando, depois de qualquer doença, sentia as forças voltarem. Até que um dia perguntei a Jesus, depois da comunhão, por que não me levava para o Paraíso. Ele me respondeu: "Filha, porque durante a sua vida lhe darei muitas ocasiões para grande mérito, desenvolvendo em você o desejo do céu, e suportando a vida ao mesmo tempo".[1]

Estas palavras não foram suficientes para diminuir meu desejo; ao invés disso, aumentava a cada dia.

---

[1] Ou seja: e ao mesmo tempo suportando com paciência a vida.

15. Amar a Jesus e sofrer com Ele

Nesse mesmo ano de 1896[1] comecei a ter outro desejo: eu sentia crescer em mim um desejo de amar tanto a Jesus Crucificado, e, juntamente a esse, um desejo de sofrer e ajudar Jesus em suas dores.

Certo dia, fui tomada por tanta dor ao admirar, ou seja, olhar fixamente o Crucifixo, que caí por terra desfalecida; por acaso o papai estava em casa, e começou a me dar bronca,[2] dizendo que me fazia mal estar sempre dentro de casa e sair muito cedo de manhã (já fazia dois dias que não me deixava ir à Missa de manhã). Respondi, brava:[3] "Me faz mal é estar longe de Jesus Sacramentado".

Ele ficou tão bravo com a resposta, que me deu um forte grito; escondi-me no quarto, e foi a primeira vez que expressei abertamente a minha dor somente a Jesus.

Meu papai, não me recordo certinho das palavras, mas meu anjo cá está e me dita palavra por palavra. São estas:

Quero seguir-te a custo de qualquer dor, e te seguirei fervorosamente. Não, Jesus, não te darei mais mal-estar por agir de maneira morna,

---

[1] Também aqui foi escrito 1897.
[2] *Contendermi*, no sentido de me reprovar, gritar comigo.
[3] Lembre-se que, no linguajar *lucchese*, "arrabbiato" (bravo) quer dizer simplesmente "inquieto", "sério", "descontente" ou "desgostoso".

como fiz até então: seria vir a teu encontro para dar-te desgosto. Então, proponho: oração com mais devoção, comunhões mais frequentes. Jesus, quero sofrer e sofrer muito por ti. As orações sempre em meus lábios. Se quem se propõe a fazer muito já desiste de muito, que acontecerá com quem se propõe a pouco?

Meu papai, essas palavras me foram ditadas pelo meu coração naquele momento de dor e de esperança, a sós com meu Jesus.

Eu fazia tantas proposições a Ele, mas nunca observava nenhuma. A cada dia, em meio aos meus tantos pecados de todos os tipos, eu pedia a Jesus para sofrer, e sofrer muito.

16. A DOENÇA NOS PÉS

Depois de tanto pedir, Jesus me atendeu: enviou-me uma doença em um dos meus pés. Eu a mantive em segredo por bastante tempo, mas a dor ficou mais forte;[1] veio o médico, e disse que precisava operar urgentemente ou teria que amputar o pé. Toda a família ficou muito triste; somente eu me mantive indiferente. Lembro-me de que, quando fui operada, chorei, gritei, mas depois, olhando para Jesus, pedi que perdoasse meus desabafos.[2] Jesus me mandou outras penas, e posso dizer, a bem da verdade, que, assim que mamãe morreu, não passei um só dia sem sofrer um pouquinho por Jesus.

Em todo esse tempo, nunca deixei de cometer pecados: a cada dia eu piorava, era cheia de tantos defeitos, e não sei como Jesus nunca se mostrou descontente. Somente uma vez vi Jesus decepcionado comigo, e preferiria mil

---

[1] A doença, que se pensava ser uma cárie no osso, agravou-se quando caiu sobre seu pé um banco de madeira, enquanto estava com as Zitinas.

[2] A cirurgia, feita por três médicos, doutores Del Prete, Giorgi e Gianni, consistiu em remover os resíduos do tumor machucado pelo banco e em raspar o osso: operação dolorosíssima, e que a Santa suporta com tanta paciência que desperta admiração nos presentes e nos médicos. Disse-nos, de fato, a tia Elisa no processo: "Minha irmã Elena e meu sobrinho Guido me disseram que ficaram ali vendo a cirurgia, e ela nunca emitiu um gemido, nem antes, nem durante, nem depois da operação. E um dos médicos, ou melhor, o Sr. Gianni, disse a Gemma assim que acabou a cirurgia: 'Muito bem, Gemma! Você foi muito corajosa!'. Gemma respondeu ao médico com um sorriso" (*Summar. super virtut.*, n. 1, §14). Disso, percebe o leitor que os choros e gritos, dos quais fala Gemma, não deviam ser senão alguns gemidos e lágrimas, os quais ela não pôde impedir de saírem, tamanha era a dor.

vezes sofrer as penas do inferno em vida do que estar diante de Jesus decepcionado, pondo diante dos meus olhos o quadro da minha horrível alma, como contarei que mais tarde fez.³

---

³ Veja mais adiante. Essas palavras de Gemma nos trazem à mente aquilo que lemos na autobiografia de Santa Margarida Maria Alacoque, com a qual nossa Santa teve tantas semelhanças: "Não podendo a Sua Santidade (de Deus) sofrer nenhuma mácula, quando ele expõe em sua face algumas das minhas imperfeições, entre as quais se encontram um pouco de deliberação e negligência (e eu sou tão imperfeita e miserável, que caio em tantos pecados, mesmo que não de propósito), para mim é, confesso, um suplício insuportável ter que fitar a divina Santidade, agora que cometi tantas infidelidades. Não há nenhum outro sofrimento que eu não preferisse a suportar a presença deste Deus tão santo depois de minha alma haver sido manchada, e seria para mim um tormento muito menor se me precipitasse em um forno ardente" (*Vida da beata madre Magarida M. Alacoque escrita por ela mesma*. Trento. 1889, p. 115).

17. Os primeiros votos

No dia de Natal daquele ano de 1896,[1] permitiram-me ir à Missa e receber a santa comunhão. Eu tinha, naquele tempo, cerca de quinze anos,[2] e já pedia a meu confessor, havia muito tempo, que me deixasse fazer voto de virgindade (eu não sabia o que era, mas em meus pensamentos parecia ser o melhor presente que poderia agradar a Jesus). Não me foi possível obtê-lo. Em vez do voto de virgindade, permitiu-me fazer o de castidade, e na noite de Natal fiz meus primeiros votos a Jesus. Lembro-me de que Jesus gostou tanto, que ele próprio, depois da comunhão, disse-me que a esse voto eu juntasse a oferta de mim mesma, dos meus sentimentos, e a entrega à sua vontade. Eu o fiz com tanta alegria, que passei a noite e o dia seguinte no Paraíso.

---

[1] A Santa continua a escrever 1897.

[2] Quinze anos: curioso o modo de contar os anos de Gemma! Tendo nascido em 12 de março de 1878, no Natal de 1896 ela tinha dezenove anos, ainda que incompletos.

18. O ANO TÃO SOFRIDO (1897):
A MORTE DO PAPAI

Terminado o dito ano, entramos em 1897,[1] um ano tão sofrido para todos da família. Somente eu, sem coração, permanecia indiferente a tantas desgraças. O que mais afligiu aos demais foi[2] que passamos necessidades e papai sofreu uma grave doença.

Certa manhã, depois da comunhão, entendi a grandeza que em breve quereria Jesus. Chorei, mas Jesus, que naqueles dias tão sofridos se dava mais a sentir em minha alma, e também o via [ao papai] tão entregue à morte, me deu uma força tão grande que suportei aquela desgraça com tranquilidade.[3] E no dia em que ele morreu, Jesus me proibiu de me entregar a lamentações e choros inúteis, e passei o dia rezando e me entregando à vontade de Deus, que naquele momento fazia as vezes de Pai Celeste e Pai Terreno.

---

[1] Estava escrito, erradamente, 1898.

[2] No original disse *foi*.

[3] No registro dos mortos da Paróquia S. Frediano in Lucca, no ano de 1897, n. 39, se lê: "Aos 11 dias do mês de novembro de 1897, Galgani Enrico, filho de Carlo e Margherita Orsini, viúvo de Aurelia Landi, desta paróquia, munido dos santíssimos sacramentos da penitência e extrema-unção, com a bênção pontifícia, assistido pelo sacerdote até o último suspiro, passou à outra vida às 14h30, aos 53 anos. Não foi possível administrar-lhe o viático por sua impossibilidade de recebê-lo. Seu corpo, feitas as devidas exéquias, foi sepultado no Campo santo, associado como coirmão à venerável Confraternità di Misericordia".

19. Com a tia de Camaiore – Retorno a Lucca (1898)

Depois de sua morte [do papai], ficamos sem nada: não tínhamos mais de que viver. Uma tia, assim que soube, nos ajudou em tudo, e não quis que eu continuasse com a família. No dia seguinte à morte do papai, mandou me buscar, e fiquei com ela por muitos meses. (Não era a tia de depois da morte da mamãe, era outra.)[1]

Todas as manhãs, levava-me à Missa; eu comungava pouquíssimas vezes, porque não tinha como me confessar com outros, senão com o monsenhor. Nesse tempo, no entanto, comecei a me esquecer de Jesus, comecei a deixar de lado as orações, e voltei a amar as diversões.

Outra sobrinha que a tia também tinha trazido ficou minha amiga, e por ruindade nos dávamos muito bem. A tia frequentemente nos mandava para fora. Lembro-me bem de que, se Jesus não tivesse piedade de minha fraqueza, eu teria caído em pecado grave; e o amor do mundo começava aos poucos a se marcar no meu coração; mas Jesus, mais uma vez, tomou a frente: de repente comecei a ficar corcunda e [a ter] fortes dores nos rins. Resisti por um tempo, mas vendo que piorava, pedi à tia que me levasse de volta a Lucca. Não perdeu tempo: acompanhou-me até lá.

---

[1] Era a tia Carolina Galgani, casada com Domenico Lencioni, em Camaiore.

Mas, meu papai, a ideia daqueles meses passados em pecado me fazia tremer. Tinha-os feito de todos os tipos: até mesmo pensamentos impuros bailavam em minha mente; tinha dado ouvido a falas muito feias, em vez de fugir delas; brigava com a tia para encobrir minha amiga; em suma, eu via o inferno de portas abertas para mim.[2]

---

[2] Aqui também Gemma, como sempre quando fala de seus pecados, exagera um pouco. Nos dois depoimentos que se podem ler em seu processo apostólico de Pisa, relativos a esse período, um do primo Luigi Bartelloni e outro de Alessandra Balsuani, empregada doméstica da casa Lencioni, podemos ver que Gemma era totalmente dedicada às orações, ao sacrifício e às obras de caridade. Bastam os seguintes testemunhos. O primo diz, entre outras coisas: "Não acredito que [Gemma] tenha cometido pecados mortais nem veniais de propósito... Gemma sempre foi unida ao seu Deus... Tudo o que Gemma dizia, dizia respeito a Deus; não falava de nada senão de Deus e das coisas sagradas" (*Summar. super virtut.*, p. 356). E Balsuani: "Eu não me recordo de que Gemma tenha alguma vez caído em pecado mortal ou venial deliberadamente; amava seu Deus de forma extraordinária, como somente os anjos podem amá-lo. Gemma não tinha outra preocupação senão a de ser e estar sempre unida à vontade divina" (*ibid.*, p. 348). "Gemma foi pura como um anjo" (*ibid.*, p. 634). Também a prima Rosa Bartelloni, companheira inseparável de Gemma na igreja e na loja do tio Lencioni, no depoimento do irmão Luigi, se revela uma excelente jovem. É verdade, também, que a Santa, ocupada o dia todo numa loja de utilidades e mercearia, atendendo o público, não se encontrava num ambiente adequado.

20. Doença mortal (1898-1899)

Assim que cheguei a Lucca, arrastei-me por um tempo, doente; não queria mais que o médico viesse visitar-me (porque não queria que mais ninguém pusesse as mãos em mim, nem me visse). Certa tarde, de repente, o médico veio em casa e me visitou à força, e encontrou em mim um abcesso[1] no corpo e temeu por algo grave, pois acreditava que o abcesso tinha comunicação com os rins.

Já havia bastante tempo eu sentia dores naquela região; mas eu mesma não queria nem tocar nem olhar, isso porque, desde pequena, eu tinha ouvido um conselho, e tinha ouvido estas palavras: "Nosso corpo é Templo do Espírito Santo". Aquelas palavras me atingiram, e o pouco que pude, o pouco que pude[2] cuidei do meu corpo.

O médico, depois de me visitar, pediu uma consulta. Que pena, meu papai, ter que me despir! Toda vez que eu ouvia o médico, eu chorava. Depois da consulta só piorei, e tive que ficar acamada sem poder me mover. Davam-me vários remédios, mas, ao invés de me fazerem bem, mais faziam mal. Na cama, eu ficava inquieta, aborrecida com tudo.

---

[1] A Santa escreve "acesso"; escreve errado de novo na linha seguinte.
[2] Como se pode ver, foi escrito mais de uma vez "o pouco que pude". É um deslize, mas a repetição tem sua particular eficácia.

No segundo dia em que fiquei de cama, não encontrava a paz, e escrevi ao monsenhor dizendo que queria vê-lo. Ele veio depressa, e fez-me a confissão, não tanto porque eu estivesse mal, mas para encontrar a paz na consciência, a qual eu havia perdido. Depois de me confessar, voltei a ficar em paz com Jesus, e para me dar um sinal, naquela mesma noite, enviou-me de novo uma forte dor pelos meus pecados.

Ó meu papai, agora sim! A doença estava cada vez mais forte e os médicos quiseram me operar (daquela parte que eu já contei). Vieram em três (aquilo que sofri da doença não foi nada); a dor, a pena, foi quando eu tive de estar na presença deles quase totalmente despida... Meu papai, era muito melhor morrer! Enfim, os médicos viram que qualquer tratamento seria inútil, e me abandonaram de vez; vinham apenas de vez em quando, eu diria, quase por educação.

Nessa doença, a qual quase todos os médicos haviam declarado como meningite da medula espinhal,[3] apenas um médico insistia que era histeria.[4] Eu estava na cama sempre na mesma posição, já que não conseguia me mover sozinha; para conseguir de vez em quando um pouco de alívio, precisava pedir aos de casa que me ajudassem às

---

[3] N.T.: a Santa utilizou o termo *spinite*, um termo médico já em desuso, utilizado na época para se referir a uma inflamação da medula espinhal e das meninges que a cercam.

[4] A Santa escreve sempre *esterismo* ao invés de *isterismo*.

vezes a levantar um braço, às vezes uma perna: eles me cercavam de cuidados, enquanto eu, ao contrário, não lhes retribuía senão sendo má e respondona.⁵

---

⁵ Nossa Santa é sempre muito rígida ao se julgar. Bem diferente, no entanto, era o juízo feito pelos demais. Sua antiga professora, irmã Giulia Sestini, que foi muitas vezes visitá-la, nos diz: "Sofria muito, mas era muito conformada e tranquila. [...]. Não me recordo de ter reclamado da ajuda das tias ou da doença, ao invés disso, entendo suas palavras de conformação à vontade de Deus e desejo divino" (*Summar. super virtut.*, n. 11, §1). A irmã enfermeira que frequentemente ajudava, irmã Maria Ângela Ghiselli, das Barbantinas, também diz: "Em todo o tempo em que a ajudei, não ouvi dela nenhuma palavra de lamentação, nem de impaciência. Aquelas suas doenças eram doloridas, muito doloridas, mas nunca ouvi dela nenhum lamento. Como ela estava, ficava, como uma lenha. Eu mesma nunca vi nada de extraordinário nela, de aparições e outras coisas: vi de extraordinário sua paciência edificante" (*ibid.*, §7). E a tia Elisa: "Chamado o Dr. Del Prete, mesmo que ainda dessa vez Gemma se mostrasse contrária a essa visita, depois de um cuidadoso exame da paciente, disse: 'Precisaremos usar o fogo nesta filhona'. E Gemma, sorrindo, disse: 'O senhor mesmo o fará, doutor?'. E de fato vieram os doutores Del Prete e Pfanner e aplicaram dois botões de fogo nos rins, na presença de minha irmã Elena, visto que eu não tive coragem de presenciar. Gemma sofreu muito, mas minha irmã disse que jamais saiu de sua boca uma só palavra de lamentação. O próprio doutor Pfanner, falando do procedimento feito a Gemma, disse a minha irmã: 'Ficou boazinha, indiferente ao ato cirúrgico'" (*ibid.*, §16).

21. O CONFORTO DO ANJO

Certa tarde, mais inquieta do que geralmente, me lamentava com Jesus, dizendo que eu não tinha mais rezado, se ele não me podia curar, e perguntava por que ele me fazia estar assim tão mal.[1] O anjo me respondeu assim: "Se Jesus lhe aflige o corpo, o faz sempre para purificá-la em espírito. Seja boa". Quantas vezes, em minha longa doença, ele me fez sentir no coração palavras de consolo! Mas eu nunca me dei conta.

O que mais me afligia por estar de cama era que eu queria fazer aquilo que os outros faziam: todos os dias teria ido com prazer confessar-me, todas as manhãs teria ido à Missa. Mas em uma manhã, quando me tinham levado a santíssima comunhão em casa,[2] Jesus se fez sentir mais forte, dizendo-me que eu era uma alma fraca. "E esse teu feio amor próprio, que se ressente por não poder fazer aquilo

---

[1] "Por que", ou seja, por qual razão, por qual motivo. Não era um ato de impaciência, como nos faz crer Gemma, mas um desabafo carinhoso com seu Jesus, por seu desejo de ir à igreja e de não ser um peso aos outros. Ela mesma diz isso pouco depois.

[2] Levava a sagrada comunhão a ela um dos capelães de sua paróquia de São Frediano, o sacerdote Andrea Bartoloni Saint-Omer, primo do Mons. Volpi. Ele depôs nos processos, onde diz que lhe levou a sagrada comunhão nos quinze sábados da Madonna de Pompeia e outras vezes também; que nos dias em que conseguia se comunicar, "para ela era dia de festa"; que a ouvia falar "com entusiasmo da devoção ao Sagrado Coração", e que lhe "perguntava com muito interesse do Santuário de Paray-le-Monial e do culto que a Beata [Margarida] lhe havia inspirado e da devoção que praticava" (*Summ. super introd.*, n. 3, §130; *Summ. super virtut.*, n. 2, §3).

que os outros fazem – me dizia – ou por toda a confusão que experimenta por precisar tanto da ajuda dos outros... Se você se mortificasse, não se sentiria tão inquieta".

Aquelas palavras de Jesus me fizeram bem, e por um tempo estive com o espírito contente.

22. São Gabriel da Virgem Dolorosa

Naquele momento, na família, faziam tríduos, novenas; e os faziam pela minha cura; mas não obtinham nada. Eu mesma me mantinha indiferente: as palavras de Jesus me haviam fortalecido, mas não me convertido.

Certo dia, uma senhora que vinha sempre me visitar me trouxe um livro para ler (a vida do Venerável Gabriel).[1] Peguei quase com desprezo e o coloquei sobre a cabeceira; a senhora me pediu que eu me devotasse a ele, mas eu nem pensava nisso. Em casa, começaram a dirigir-lhe todas as tardes três p. a. g. [*Pater, Ave, Gloria*].

Certo dia, eu estava sozinha, passava do meio-dia: veio-me uma forte tentação, e eu dizia que estava entediada de estar de cama. O demônio se valeu desses pensamentos e começou a me tentar, dizendo que, se lhe houvesse dado ouvidos, ele me haveria curado, e eu teria feito tudo aquilo que queria fazer. Meu papai, eu quase cedi; eu estava agitada, e me dava por vencida. Do nada me veio um pensamento: pensei no Venerável Gabriel e disse bem forte: "Primeiro a alma, e depois o corpo!".

---

[1] São Gabriel de Nossa Senhora das Dores, clérigo passionista, então Venerável. A Santa o chama frequentemente de coirmão Gabriel. Tomou posse da "Vida" de São Gabriel através da Sra. Martinucci, para quem a havia emprestado a Sra. Cecília Giannini (*Summar. super virtut.*, n. 2, §6).

Mesmo assim, o demônio continuava com assaltos cada vez mais fortes: mil pensamentos feios bailavam em minha mente. Mais uma vez recorri ao Venerável Gabriel e com sua ajuda venci; voltei a mim, fiz o sinal da Santa Cruz e em quinze minutos voltei a me unir ao meu Deus, tão desprezado por mim. Lembro-me de que, naquela mesma tarde, comecei a ler a vida do coirmão Gabriel. Li muitas vezes: eu não me saciava de relê-la e admirar as suas virtudes e seus exemplos. As metas eram muitas, mas os feitos, nenhum.

Nesse dia, no qual meu novo protetor V. G. [Venerável Gabriel] salvou minha alma, comecei a ter por ele uma forte devoção: de noite eu não conseguia dormir sem ter sua imagem sob o travesseiro, e comecei desde então a vê-lo perto de mim (aqui, meu papai, não consigo explicar: sentia a sua presença). Em cada ato, em cada ação má que eu tivesse feito, voltava-me à mente o coirmão Gabriel, e eu me abstinha. Não deixava de rezar a ele todos os dias as seguintes palavras: "Antes a alma que o corpo".[2]

Veio, certo dia, a dita senhora para tomar-me de volta a *Vida* do Venerável. Ao tomá-la de sob o travesseiro e entregá-la àquela senhora, não pude senão chorar; ela, vendo que me entristecia deixá-la, prometeu-me que voltaria então para buscar somente quando quem lhe havia emprestado a pedisse de volta. Voltou depois de alguns dias, mas, mesmo ainda chorando, precisei entregar a ela; senti uma grande tristeza.

---

[2] A Santa escreve: "antes a alma que do corpo".

Mas aquele Santo de Deus quis bem depressa compensar o meu pequeno sacrifício. Meu papai, não o reconheci. Ele, vendo que eu não o reconhecia, abriu sua veste branca e me mostrou o hábito passionista. Não demorei, então, a reconhecê-lo. Permaneci em silêncio perante ele. Perguntou-me por que eu havia chorado quando me privaram de sua *Vida*. Não me lembro do que respondi, mas ele me disse: "Vê o quanto me agradou teu sacrifício: agradou-me tanto, que vim eu mesmo visitar-te". Pediu-me que beijasse seu hábito e o terço, e foi embora.

A fantasia continuava aumentando. Tive vontade, então, de aguardar por mais uma visita: não veio senão depois de muitos e muitos meses.

Eis como se sucedeu. Estávamos na festa da Imaculada Conceição. Naquele tempo, vinham as monjas barbantinas, Irmãs da Caridade, para me trocar e me ajudar; entre elas, frequentemente, vinha também[3] uma que não se vestia [de religiosa], e não a vestiriam ainda por outros dois anos, porque era muito pequena. Na vigília da dita festa, vieram, como de costume, as monjas, e me veio uma inspiração: "Se amanhã – pensava comigo –, que é a festa da minha Mamãe, eu prometesse que, se me fizesse sarar, eu me tornaria Irmã da Caridade, o que aconteceria?".

Esse pensamento me consolou. Revelei-o à irmã Leonilda, e ela me prometeu que, se eu sarasse, me faria vestir

---

[3] "Também" no sentido de ainda.

juntamente com aquela noviça, de quem já contei. Combinamos que, pela manhã, eu faria essa promessa a Jesus depois da comunhão. Veio o monsenhor para me confessar, e logo consegui sua autorização. Além disso, me deu mais um consolo: o voto de virgindade que antes não me havia autorizado fazer, naquela mesma tarde o faríamos, e perpétuo. Ele o renovou, e eu o fiz pela primeira e última vez. Quão grandes graças, às quais nunca correspondi.

Naquela tarde, eu me encontrava numa calma perfeita. Veio a noite, e adormeci. De repente, vejo em pé diante de mim o meu protetor, que me disse: "Gemma, faça o voto de ser religiosa, mas não adicione nenhum outro". "Por quê?", perguntei. E ele me respondeu fazendo uma careta. "Minha irmã", me disse, me olhando e sorrindo. Não entendia nada de tudo isso. Para agradecer, beijei-lhe o hábito. Ele tirou seu coração, aquele de madeira [que os passionistas usam no peito], me fez beijá-lo, e colocou-o em meu peito sobre os lençóis, e de novo me repetiu: "Irmã minha". Desapareceu.

Pela manhã, sobre os lençóis, não havia nada. Fiz a comunhão, fiz minha promessa, mas não adicionei mais nada. Isso não contei nem às monjas nem ao confessor. No entanto, por tantas vezes aquelas monjas me recordaram de meu voto, porque achavam que prometi ser Irmã da Caridade, e me disseram certa vez que a Nossa Senhora poderia fazer-me adoecer de novo. A Jesus agradou muito, e Ele se alegrou no meu pobre coração.

23. Cura milagrosa
(3 de março de 1899)

No entanto, passavam-se os meses, e eu não melhorava por nada. No dia 4 de janeiro, os médicos tentaram uma última experiência: puseram-me doze "botões de fogo"[1] sobre os rins. Bastou, comecei a piorar. Além desses males, no dia 28 de janeiro se adicionou uma dor insuportável na cabeça. O médico chamado para a consulta declarou a doença perigosa (tratava-se de um tumor na cabeça). Não era possível operar, porque eu estava muito fraca. Eu piorava a cada dia, e no dia 2 de fevereiro, fiz a sagrada comunhão por Viático.[2] Confessei-me, e aguardava o momento de ir embora com Jesus. Mas que dito! Os médicos, acreditando que eu já não estivesse entendendo, disseram entre si que eu não chegaria à meia-noite. Viva Jesus!

Uma professora minha (daquela que já contei) da escola[3] veio me visitar e me dizer adeus e até o céu. Pediu-me, mesmo assim, que fizesse uma novena à B. M. M. A. [Beata Margarida Maria Alacoque], dizendo-me que ela sem dúvidas me traria a graça de sarar perfeitamente, ou mesmo de apenas morrer, de subir direto ao céu.

Essa professora quis, antes de sair do topo da minha cama,[4] que eu prometesse que começaria naquela mesma noite

---

[1] N.T.: Antigo instrumento de ferro utilizado por cirurgiões para cauterizar.
[2] N.T.: Comunhão dada aos enfermos em suas casas para aqueles que estão à beira da morte.
[3] Irmã Giulia Sestini, do Instituto de Santa Zita. Fala-nos ela mesma no processo (*Summar. super virtut.*, n. 17, §1).
[4] "Antes de sair do topo da minha cama", ou seja: antes de se afastar da minha cabeceira.

a novena. Era dia 18 de fevereiro. Comecei, de fato; fiz pela primeira vez naquela mesma noite, mas no dia seguinte esqueci. No dia 20, comecei de novo do início, mas de novo me esqueci. Mas quanta atenção à oração, não é mesmo, meu papai?

No dia 23, comecei pela terceira vez (quer dizer, tentei começá-la), mas faltava pouco tempo para a meia-noite, e ouvi começar um terço, e senti uma mão sobre a minha testa. Ouvi começar um *Pater, Ave e Gloria*, por nove vezes seguidas. Eu apenas respondia, porque estava acabada pela doença. Aquela mesma voz, que tinha guiado o *Pater noster*, perguntou-me: "Quer sarar?". "Ainda quero", respondi. "Sim – adicionou –, você vai sarar. Reze com fé ao Coração de Jesus. Todas as noites, até o final da novena, eu virei aqui com você, e rezaremos juntos ao Coração de Jesus". "E a B. M. [Beata Margarida]?", lhe perguntei. "Some também três *Gloria Patri* em sua honra."

Assim foi por nove noites seguidas. A mesma pessoa vinha toda noite, pousava a mão sobre a minha fronte, recitávamos juntos o *Pater* ao Coração de Jesus, e depois me fazia adicionar três *Gloria* à beata Margarida.[5]

Era o penúltimo dia da novena, e, ao fim desta, eu quis fazer a santíssima comunhão. Terminava a primeira sexta-feira de

---

[5] O personagem celeste que aparecia a Santa Gemma era o seu querido protetor São Gabriel de Nossa Senhora das Dores. Na realidade, assim nos diz a já citada Irmã Giulia Sestini (l.c.): "A novena começou na quinta-feira [leia-se quarta-feira]; eu fui encontrá-la [Gemma] no domingo seguinte. Disse-me: 'Quer saber com quem faço a novena?'. Eu perguntei: 'Com suas tias? Com suas irmãs?'. Ela respondeu sempre com um sorriso: 'Não, não', e finalmente adicionou: 'Com o Venerável Gabrielzinho que vem me ajudar a recitar o *Pater*' ". Por uma feliz coincidência, São Gabriel de Nossa Senhora das Dores e Santa Margarida Maria Alacoque foram ambos canonizados por Bento XV, no dia 13 de maio de 1920. Naquele mesmo ano, no dia 28 de abril, foi iniciado o processo de beatificação de Santa Gemma Galgani.

março. Chamei o confessor, confessei-me; pela manhã, recebi a comunhão. Que momentos felizes passei com Jesus! Repetia-me: "Gemma, quer sarar?". A emoção foi tanta que não pude responder. Pobre Jesus! A graça estava feita, eu sarei.[6]

[6] A Santa, que anteriormente havia apenas mencionado um tumor na cabeça, aqui não disse nada sobre outra doença que se manifestou naqueles últimos dias, uma otite purulenta do lado esquerdo, da qual foi operada na noite de sua recuperação. Dá-nos a conhecer, nos mínimos detalhes, o mesmo especialista, professor Iacopo Tommasi, o qual, no dia seguinte, se maravilhou ao encontrar Gemma curada. Ele disse que, a pedido do Dr. Carlo Gianni, se comprometeu a visitá-la cerca de quatro e meia da tarde, conta o detalhado exame que fez na orelha e segue dizendo: "Feita a limpeza para retirar o pus e secado com chumaços de algodão, constatei pelo laudo anatomopatológico a perfuração da membrana do tímpano com vermelhidão nesta. Então eu disse: 'Façamos a operação de curetagem para alargar o pavilhão, para que se faça de modo mais fácil o desprendimento do pus'. E fizemos a operação, limpando novamente com chumaços de algodão; fizemos a limpeza e assepsia com algodão e tiras de gaze. A paciente não disse nada nunca, não falou nunca; podia mover a cabeça, mas não tentou nem se esquivar ou se mover de forma alguma, nem instintivamente; tanto que, para mim, parecia que operava um cadáver. No entanto, ela deve ter sofrido muito. Eu lhe perguntei: 'Sofreu muito?' Ela me respondeu sorrindo suavemente e movendo suavemente a cabeça, quase dizendo 'não', ou 'só um pouquinho de nada'. E me lembro de que não usei sequer cocaína, um forte anestésico local. Ela estava com uma ligeira febre, acredito que de 37,3°C ou 37,4°C, a qual tenho certeza de que vinha da otite purulenta aguda que atingia até o martelo. Feito isso, fui embora e retornei no dia seguinte às onze da manhã. Entrei no quarto e perguntei: 'Como vai?'. E ela respondeu depressa: 'Sarei'. Sacudi as costas e preparei todas as minhas coisas para a medicação; mas quando tirei a gaze e a encontrei totalmente seca, fiquei maravilhado e fui obrigado a dizer: 'Sim, você sarou de verdade!'. Quanto à cura rápida da otite purulenta acima mencionada, em toda a minha longuíssima carreira e em tudo que pude verificar nos livros italianos e estrangeiros, como também em minha prática clínica em Berlim e Viena, onde esses casos são muito numerosos, eu não encontrei jamais semelhante caso de uma cura completa constatada apenas dezenove horas após seu surgimento" (*Proc. apostol.*, fol. 934-935. Cf. *Summar. super virtut.*, n. 3, §110). Era dia 3 de março, primeira sexta feira do mês. Da sua recuperação alcançada, a Santa, em sinal de reconhecimento, escreveu no dia 9 de março uma longa lista, que relatamos nos *Vários escritos*. Resta, no entanto, ler o seguinte maravilhoso testemunho do médico que dela cuidava, Dr. Lorenzo Del Prete: "Eu tenho que o decorrer da doença [a meningite ou Mal de Pott] e sua cura foram naturais, mesmo que não seja frequente nestes casos; por último vi uma maior rapidez no retorno das funções das articulações, mas, segundo eu, sempre no limite da normalidade. Eu e Pfanner cremos que tenha sido o próprio efeito do remédio, das injeções de iodofórmio, que era ainda um medicamento novo também pela forma de utilização" (*Proc. apostol.*, fol. 890). Não é inútil notar que hoje os médicos não atribuem às injeções de iodofórmio a eficácia de outrora.

24. A ternura de Jesus

"Filha – dizia Jesus me abraçando –, eu me dou inteiro a você, e você será inteiramente minha?". Via bem que Jesus me havia tirado os pais, e às vezes eu me desesperava,[1] porque achava que tinha sido abandonada. Naquela manhã, lamentei-me com Jesus, e Jesus, sempre muito bom, sempre com muita ternura, me repetia: "Eu, filha, estarei sempre com você. Sou eu o seu Pai, e sua mãe é aquela... – e apontou M. S. [Maria Santíssima] das Dores. – Nunca faltará o auxílio paterno a quem está em minhas mãos; nada, portanto, faltará a você, embora lhe tenham sido tirados todos os consolos e apoios nesta terra. Venha, chegue mais perto... Seja minha filha... Não está feliz de ser filha de Jesus e Maria?". Tamanho carinho que Jesus fez nascer no meu coração me impediu de responder.

Passaram-se apenas duas horas e me levantei. Os de casa choravam de alegria. Eu também estava feliz, não pela recém-adquirida saúde, mas porque Jesus havia me escolhido por sua filha. Naquela manhã, antes de ir embora, Jesus me disse: "Minha filha, à graça que lhe concedi esta manhã se seguirão outras muito maiores". E foi verdade mesmo, que Jesus sempre me protegeu de modo especial: para Ele, não dei senão frieza, indiferença, e Ele retribuiu com sinais de seu infinito amor.

---

[1] Desesperar no sentido de apavorar, segundo o linguajar *lucchese*.

25. Fome Eucarística

Comecei, então, a não me aguentar mais, se a cada manhã eu não pudesse ir com Jesus, mas eu não podia. O confessor tinha me autorizado, mas a fraqueza me permitia apenas ficar de pé. Na segunda sexta-feira de março de 1899, saí pela primeira vez para fazer a santíssima comunhão, e desse momento em diante nunca mais a deixei; apenas vez ou outra, porque meus muitos pecados me tornavam indigna, ou por castigo do próprio confessor.

26. COM AS SALESIANAS

Naquela mesma manhã da segunda sexta-feira de março, as monjas salesianas[1] quiseram me ver. Fui até elas, e me prometeram que no mês de maio me levariam com elas para os exercícios, e em junho, se fosse de fato minha vontade e minha vocação verdadeira, me aceitariam no convento definitivamente. Sim, eu me senti muito feliz por essa decisão delas, e muito mais porque sabia que o monsenhor concordaria com isso.

---

[1] As monjas salesianas da Visitação.

27. Semana Santa de 1899

Passado o mês de março, fazendo a comunhão todas as manhãs, Jesus me enchia de inefável consolo. Veio, então, a Semana Santa, tão desejada por mim para assistir às funções sagradas; mas Jesus tinha pedido muito pelo contrário: naquela semana queria de mim um sacrifício. Veio a Quarta-feira Santa (nenhum outro sinal se manifestou em mim, além de que, quando eu fiz a comunhão, Jesus se mostrou de maneira grandiosa).

28. O ANJO DA GUARDA: MESTRE E GUIA

O anjo da guarda, desde o minuto em que me levantei, começou a ser para mim mestre e guia: repreendia-me todas as vezes que eu fazia algo errado, ensinava-me a falar menos e apenas quando me era solicitado. Uma vez, os de casa falavam de uma pessoa e não falavam tão bem. Eu queria depreciá-la também, mas o anjo me repreendeu duramente. Ensinou-me a ter os olhos baixos, e até[1] na igreja me repreendia, dizendo: "Está assim na presença de Deus?". E outras vezes gritava comigo: "Se você não for boa, não virei mais vê-la". Ensinou-me muitas vezes como eu devia me portar na presença de Deus: como adorá-lo em sua infinita bondade, em sua infinita majestade, em sua misericórdia e em todas as suas qualidades.

---

[1] "Até" no sentido de até mesmo.

29. A primeira Hora Santa – Jesus Crucificado

Estávamos, no entanto, como já disse, na Semana Santa, era quarta-feira. O confessor pensava que no final me faria a confissão, como eu há muito tempo lhe demonstrava o desejo; marcamos naquela tarde de quarta-feira e bem tarde. Jesus, em sua infinita misericórdia, deu-me uma dor fortíssima por meus pecados, e eis de qual forma. Na quinta-feira à noite, comecei pela primeira vez a fazer a Hora Santa (havia prometido ao Coração de Jesus que, se eu sarasse, toda quinta-feira faria infalivelmente a Hora Santa).[1] Era a primeira vez que a fazia em pé; também nas outras quintas a fazia, mas na cama, porque o confessor não me autorizava a fazê-la em pé, devido à minha extrema fraqueza. Mas depois da confissão, me permitiu tudo.

---

[1] A Hora Santa, ou seja, uma hora de oração na noite de quinta-feira, na companhia de Jesus agonizante no Horto. Sugeriu a Gemma, poucos dias antes de sua melhora, sua antiga professora, irmã Giulia Sestini, que assim depõe no processo: "Eu lhe levei o manual intitulado *Rezemos*, de nossa fundadora [irmã Elena Guerra], onde tem a Hora Santa, e disse a Gemma que me prometesse fazê-la toda primeira quinta-feira do mês" (*Summar. super virtut.*, n. 17, §1). Gemma, no entanto, prometeu fazê-la toda quinta-feira, e começou justamente na quinta-feira após sua recuperação. "No dia seguinte, sexta-feira – prossegue a irmã Giulia – [...], depois das quatro da tarde, fui lá: Gemma estava de pé, me disseram as tias; a haviam, no entanto, por receio, feito voltar para a cama; se levantou, sentando-se na cama, e me abraçou dizendo: 'Jesus me concedeu uma graça!'. Depois, em voz baixa, me confidenciou que havia prometido fazer a Hora Santa toda quinta-feira e que já a havia feito no dia anterior, na qual me disse que Jesus a fizera sentir uma comoção no coração" (ibid., § 3. Cf. *Relazione sulla guarigione*).

Fui então fazer a Hora Santa, mas me senti tão dolorida por meus pecados, que passei dias em martírio contínuo. No entanto, no meio dessa dor infinita, me restava um consolo: aquele de chorar. Ao mesmo tempo, conforto e alívio. Passei a hora inteira rezando e chorando. Ao final, estando exausta, me sentei. A dor continuava. Pouco depois, senti me esvaírem as forças, e pude com muito esforço levantar-me para fechar a porta do quarto à chave. Onde eu estava? Meu papai, eu estava diante de Jesus Crucificado então. Vertia sangue de todas as partes. Abaixei rapidamente os olhos, e aquela visão me perturbou demais. Fiz o sinal da Santa Cruz. Após a perturbação, me veio rapidamente a paz de espírito.[2] Mas continuava a sentir as dores dos pecados ainda mais fortes. Não levantei nunca os olhos para ver Jesus: não tive nunca a coragem; me joguei com a testa no chão, e fiquei assim por horas. "Filha – me disse –, veja: estas chagas estavam todas abertas pelos seus pecados; mas agora se console, porque as fechou todas com as suas dores. Não me ofenda mais. Ame-me, como eu sempre a amei. Ame-me", repetiu diversas vezes.

Aquele sonho desapareceu e voltei a mim; comecei desde então a ter um grande horror ao pecado (a maior graça que me concedeu Jesus). As chagas de Jesus ficaram marcadas na minha mente, e nunca se apagaram.

---

[2] Observa aqui o padre Germano: "É esta a diferença, como dizem os teólogos, entre as aparições celestes e diabólicas: as primeiras incutem temor, ao qual rapidamente se segue uma serena tranquilidade, enquanto aquelas outras causam primeiro (certamente para causar mais dano) uma falsa sensação de segurança, à qual se segue uma grande perturbação do espírito e verdadeiro terror. Com esse sinal, fica fácil distinguir uma da outra" (*Vita*, p. 86).

30. Sexta-feira Santa
(31 de março de 1899)

Na manhã da Sexta-feira Santa, fiz a comunhão,[1] e durante o dia quis ir às horas de agonia, mas os de casa não me quiseram deixar ir, mesmo que eu chorasse. Com força,[2] fiz esse primeiro sacrifício a Jesus; e Jesus, tão bondoso, mesmo que [fosse feito] com muito esforço, me quis recompensar; mesmo que tenha ido fazê-las fechada no quarto, não fui sozinha: veio comigo o meu anjo da guarda e rezamos juntos; acompanhamos Jesus em todas as suas dores, nos compadecemos de nossa Mãe nas suas dores. No entanto, o anjo não deixou de me fazer uma leve repreensão, dizendo-me que não chorasse quando fizesse um sacrifício a Jesus, mas agradecesse àqueles que me davam a oportunidade de fazê-lo.

Foi essa a primeira vez – e também a primeira Sexta-feira Santa – que Jesus se fez sentir em minha alma tão forte assim; e mesmo que eu não recebesse, porque era impossível, das mãos do sacerdote, Jesus verdadeiro, Jesus mesmo veio e se transmitiu a mim. Mas nossa união foi tão forte, que eu fiquei estupefata.

---

[1] Não das mãos do sacerdote, como disse a Santa pouco depois; em qual modo a fizera, no entanto, não explica: precisou Jesus falar com ela de maneira prodigiosa, como fez outras vezes (ver *Vita*, p. 396). O padre Germano, em suas anotações, falando da comunhão de Gemma por mãos angelicais, disse também: "Três vezes me contou sobre isso, mas creio que acontecera mais vezes".

[2] Com força, isto é, com esforço e violência.

Mas Jesus falou bem alto: "O que faz? O que me diz? Nem ao menos se comove?". Foi então que, não podendo mais resistir, disse bem alto: "Ó Jesus, mas como: você perfeitíssimo, santíssimo, amar alguém que por você é só frieza e imperfeição?". "Anseio – repetia Jesus – por unir-me a você; corra todas as manhãs. Mas saiba, eu sou um pai, um esposo ciumento; você será minha filha e esposa fiel?"

Naquela manhã, fiz mil promessas a Jesus; mas, meu Deus, como as esqueci rapidamente! O horror ao pecado sempre senti, mas mesmo assim os cometia. E Jesus não estava satisfeito; consolava-me sempre, mandava o anjo da guarda me guiar em tudo.

Depois desse ocorrido, eu precisava contar isso ao confessor. Fui confessar-me, mas não tive coragem: saí sem ter dito nada.[3] Fui para casa, e ao entrar no quarto, reparei que meu anjo chorava; não tive a ousadia de perguntar-lhe nada, ele mesmo me respondeu com estas palavras: "Então você não quer mais me ver? É má: esconde as coisas do confessor. Lembre-se disso, vou repetir uma última vez: se você esconder alguma coisa do confessor mais uma vez, eu não virei mais vê-la. Nunca mais". Pôs-me de joelhos e me fez dizer o ato de contrição, fez-me prometer que contaria tudo [ao confessor] e me perdoou em nome de Jesus.

---

[3] Nota-se a grande relutância de Gemma a manifestar os dons de Deus: claro sinal de sua profunda humildade.

31. Uma reprovação severa de Jesus

Estávamos no mês de abril. Eu esperava com impaciência o momento de poder ir para as salesianas e fazer os exercícios, como haviam me prometido. Certa vez, ou melhor, certa manhã, após a comunhão, Jesus me revelou uma coisa que lhe desagradava: algo que eu havia feito na noite anterior.

Era comum virem a nossa casa duas garotas, amigas de uma irmã minha, e não é que falavam de coisas ruins, mas falavam de coisas mundanas. Eu participei da conversa e disse também as minhas, como as outras garotas; mas pela manhã Jesus me desaprovou tanto, e meu terror foi tão grande, que desejei que eu não falasse mais nada e não visse mais ninguém.

No entanto, Jesus continuava a deixar-se sentir todos os dias em minha alma e me enchia de consolo, e eu, ao contrário, continuava a virar-lhe as costas e a magoá-lo sem nenhum remorso.

32. Sede de amor e de sofrimento

Dois sentimentos e dois pensamentos nasceram em meu coração, depois da primeira vez em que Jesus me deixou senti-lo e vê-lo encharcado de sangue. Quis amá-lo, e amá-lo até o sacrifício; mas como eu não sabia como amá-lo verdadeiramente, pedi ao meu confessor que me ensinasse, e ele me respondeu assim: "Para ler e escrever, como fazemos? Exercitamo-nos a ler e a escrever continuamente, e então se aprende". Essa resposta não me convenceu: não entendi nada. Outras vezes pedi a ele que me ensinasse, mas recebia sempre a mesma resposta.

Outra coisa que nasceu no meu coração, depois de ter visto Jesus, foi um grande desejo de sofrer um pouco por ele, vendo que havia sofrido tanto por mim. Providenciei, então, uma corda grossa, que, sem ninguém saber, tirei do poço; fiz-lhe diversos nós e a coloquei na cintura. Não consegui ficar com ela assim nem um quarto de hora, pois o anjo da guarda apareceu me repreendendo, e me fez tirá-la, porque eu não havia pedido permissão ao confessor. Pedi para ele pouco depois, e obtive sua permissão. Mas o que me afligia era não poder amar Jesus como eu queria; contentava-me em não ofendê-lo, mas minha terrível inclinação ao mal era tão forte que, sem uma graça especial de Deus, eu teria ido para o inferno.

33. "Aprenda como se ama"

Desesperava-me não saber amá-lo, mas Jesus, em sua infinita bondade, não se envergonhava de humilhar-se, até que se fez meu professor. Certo dia, para me tranquilizar, no momento em que eu fazia minhas orações da noite, senti-me recolher totalmente por dentro, e me encontrei pela segunda vez defronte a Jesus Crucificado, que me disse estas palavras: "Observe, filha, e aprenda como se ama", e me mostrou as suas cinco chagas abertas. "Vê esta cruz, estes espinhos, este sangue? São todas obras de amor, e de amor infinito. Vê até que ponto eu a amei? Quer me amar verdadeiramente? Primeiro, aprenda a sofrer. O sofrer ensina a amar."

Experimentei naquela visão uma nova dor, e, pensando no amor infinito de Jesus por nós, nas dores que havia sofrido por nossa salvação, desmaiei, caí no chão, e voltei a mim depois de muitas horas. Tudo aquilo que me acontecia durante as minhas orações era imenso consolo que, mesmo que tivesse durado muitas horas mais, não me cansaria nunca.

A cada quinta-feira, eu continuava a fazer a Hora Santa, mas acontecia às vezes de esta hora durar até duas, porque Jesus estava comigo, e quase sempre me fazia participar do sofrimento que experimentou no Horto em vista de tantos pecados meus e de todo mundo: uma tristeza tal que pode equiparar-se à agonia da morte. Depois de tudo isso, eu ficava numa calma tão suave e tão consolada, que precisava me desaguar em lágrimas, e essas lágrimas me faziam provar um amor incompreensível, e crescia em mim o desejo de amar Jesus e sofrer por Ele.

34. No mosteiro das salesianas

Aproximava-se[1] o momento tão desejado de ir para os exercícios, e entrei no convento no dia 1º de maio de 1899, às 15 horas. Parecia que entrava no Paraíso. Que consolo! A primeira coisa foi que proibi os de casa de virem me ver nesses dias, porque aqueles dias eram todos para Jesus. O monsenhor, na mesma tarde em que entrei, veio me ver e me aconselhou (como desejava a madre superiora) a não fazer exercícios privados,[2] mas sim como uma prova, ou seja, que fizesse tudo o que as monjas fizessem. Se por um lado isso me consolou, por outro me desagradou, porque não consegui me recolher tão bem; mas quis obedecer sem retrucar. A madre superiora me entregou à mestra das noviças, que me deu um cronograma para os dias em que eu estivesse lá dentro.[3]

Eu deveria me levantar às 5h, ir ao coro às 5h30, fazer a comunhão e, depois, recitar com as monjas as Laudes e a Sexta; depois, sair para tomar o café da manhã, e depois de meia hora, ir para o quarto; às 9h ir para o coro de novo, ouvir a missa da comunidade e recitar a Nona;[4] às 9h30, se o

---

[1] Ao invés de *ci avvicinavamo*, a Santa escreve *si avvicinavamo*.
[2] *Exercícios privados*, ou seja, feitos de modo privado, apartando-se da comunidade.
[3] A Superiora era a madre Marianna Giuseppina Vallini e a mestra das noviças a irmã Maria Giuseppa Guerra, ambas luquesas.
[4] Junto com as monjas, a Santa recitava em coro a hora canônica das Laudes, mais tarde a Terça e a Sexta, e depois da Missa no convento, a Nona.

monsenhor pudesse, vinha dar-me orientações; mas, se não pudesse vir, me havia dado um livro para que naquele momento eu meditasse, e depois vinha de tarde para falar comigo. Às 10h15, quando eu terminava as meditações, devia fazer a visita a Jesus com as monjas, e depois, às 10h30, almoçar, até as 11h30; dessa hora até as 12h30 tinha recreação (obtive permissão do monsenhor para fazer recreação somente uma vez ao dia, com as monjas, porque de tarde eu queria estar no coro com Jesus). Ao meio-dia e meia, eu ficava no noviciado até as 15h e trabalhava; às 15h, recitavam-se as Vésperas, e então se reunia de novo toda a comunidade, e a superiora dava orientações, até as 17h. Às 17h, ia de novo para a igreja recitar as Completas e fazer uma hora de meditação, da maneira como achasse melhor; depois da meditação, íamos de novo ao refeitório, e depois tinha recreação, e aquele tempo eu passava ou com a madre superiora, em seu quarto, ou no coro. Reunia-se, então, a comunidade, depois das 20h30 por cerca de meia hora; às 21h se recitava o Ofício de Leitura e, enfim, eu ia para a cama.

Meu papai, pareceu-me que aquela vida era muito[5] para as monjas e, ao invés de me encantar, comecei, então, a não gostar nem um pouco daquele modo de vida. As noviças, que tinham tanto carinho por mim, me avisavam, de vez em quando, e me falavam aquilo que eu podia fazer para agradar à comunidade, mas eu nem ligava. O que me afligia era ter que

---
[5] "Muito" fácil ou cômoda, como se percebe pelo que se segue.

voltar ao mundo; e eu teria preferido ficar ali (mesmo que eu não me sentisse bem enquadrada) a voltar aos lugares onde as ocasiões para ofender Jesus são tantas. Pedi ao monsenhor permissão para que eu não saísse mais do convento.

Sob o consentimento da madre superiora e de toda a comunidade, foi pedida a autorização ao arcebispo,[6] que não a concedeu, dizendo que eu ainda estava mal de saúde, e também porque eu portava um busto de ferro na coluna para me sustentar. (Não sei quem fazia as vezes de espião para o arcebispo.) A madre superiora então ordenou que, por obediência, eu tirasse o busto de ferro; chorei sob essa ordem, porque eu sabia que não podia me sustentar sozinha. Corri ao noviciado, rezei ao meu querido Jesus menino, e então corri para o quarto. Tirei-o. Haviam-se passado dois anos, não precisei recolocá-lo e estava muito bem.

A superiora, sabendo disso, tratou de avisar logo o monsenhor, para que ele avisasse então o arcebispo. Faltava um dia para o final dos exercícios. O monsenhor Volpi veio para me confessar e me perguntou se eu poderia ficar outros doze dias no convento, porque dia 21 de maio era a profissão de algumas irmãs e queria que eu estivesse presente.

Fiquei infinitamente contente de ficar com elas, mas um pensamento não me saía da cabeça: aquela vida era muito cômoda para mim. Eu tinha pecado tanto, precisava ainda fazer

---

[6] Monsenhor Nicola Ghilardi, arcebispo de Lucca, do qual o monsenhor Volpi era então auxiliar.

penitência. Falei de meus medos a Jesus, depois da comunhão, e Jesus, não olhando nunca a minha miséria, me consolava e se deixava sempre sentir em minha alma, e me acalmava dizendo palavras consoladoras. Estava presente, como queria o monsenhor, na profissão de quatro noviças; naquela manhã eu chorei, e chorei muito: Jesus me comoveu mais do que geralmente, e algumas freiras, que haviam me visto, se aproximaram e perguntaram se eu precisava de alguma coisa, pois eu estava a ponto de perder os sentidos. (Era verdade: as monjas haviam esquecido de me dar café da manhã, e esqueceram também de me dar almoço, porque naquele dia comi muito mal.)

Recebi uma bela bronca,[7] como a merecia: eu mesma devia ir ao refeitório, quando soasse a campainha, mas fiquei com vergonha, ou melhor (veja, meu padre querido, a que ponto chega minha maldade e o meu respeito humano), a madre superiora costumava me manter consigo para todos os lados. Naquele dia da profissão, as monjas que professam deveriam ficar com a madre superiora, fazendo que eu ficasse de fora, e pela soberba de não ir com as outras, fiquei sem comer.

Eu merecia pior, meu Deus! Mas Jesus ainda me suportou; deu-me um castigo, aquele de não senti-lo pelos dias seguintes. Chorei tanto por isso, mas Jesus enviou-me de novo o anjo da guarda, que me disse: "Feliz és tu, ó filha, que mereces sim o justo castigo!". Não entendi nada daquelas palavras, mas senti que consolaram meu coração.

---

[7] "Bronca", ou seja, reprovação, fala severa.

35. Retorno à família – Saudades do claustro e esperanças desiludidas

Meu Deus! Eis uma nova dor: no dia seguinte, eu deveria sair do convento, para voltar para casa; gostaria que aquele momento não tivesse chegado nunca, mas, infelizmente, chegou. Eram cinco horas da tarde do dia 21 de maio de 1899 e eu deveria ir embora. Pedi chorando as bênçãos da madre superiora, me despedi das monjas e saí. Meu Deus! Que dor!

Mas a essa dor deveria seguir outra dor ainda mais forte. Voltei para minha família, mas não conseguia mais me adaptar: minha mente e meu coração estavam com a ideia fixa de ser religiosa, e ninguém me poderia tirar essa ideia; para sair do mundo, eu tinha absolutamente decidido que me tornaria monja salesiana. Quase todos os dias eu ia ao mosteiro, e as freiras haviam me prometido que, no mês de junho, no dia da festa do Sagrado Coração de Jesus, eu voltaria a ficar com elas.

Devo dizer, no entanto, que sentia que meu coração não estava totalmente contente: sempre porque a vida salesiana era muito cômoda. E várias vezes Jesus, de tempos em tempos, repetia no meu coração: "Filha, para você é necessária uma regra mais austera". A essas palavras eu quase nunca dava ouvido e continuava firme em meu propósito.

Entramos, então, no mês de junho, e me dei conta de que as monjas estavam mudadas; eu não me incomodei: a cada vez que eu ia ver a superiora, diziam-me que eu não podia, e enviavam às vezes uma, às vezes outra. E começaram a me passar sermão, dizendo que, se eu não tivesse ao menos quatro atestados médicos, não me aceitariam. Tentei de tudo, mas tudo em vão: os médicos não queriam fazê-los, e as monjas um dia me disseram que, quando eu tivesse os atestados, elas me aceitariam na hora, caso contrário, não me aceitariam absolutamente. Essa decisão não me perturbou, porque Jesus não deixava de me consolar com suas graças.

36. Uma graça imensa: os estigmas

No dia 8 de junho,[1] depois da comunhão, Jesus me avisou que, de noite, me concederia uma graça imensa. Fui, no mesmo dia, me confessar e contei para o monsenhor, que me aconselhou a ficar bem atenta para depois contar-lhe tudo.

Chegou a noite: de repente, mais rápido do que de costume, senti uma forte dor interna, por meus pecados, mas senti de maneira tão forte, como nunca havia sentido. Aquela dor me deixou quase como morta.[2] Depois disso, senti serem-me tiradas todas as forças da minha alma: meus pensamentos não viam senão meus pecados e ofensas a Deus; a memória me trazia tudo à tona e me fazia ver todas as tribulações que Jesus havia sofrido para me salvar; a vontade me fazia detestar a tudo e prometer querer sofrer de tudo para poder expiá-los. Um turbilhão de pensamentos passou pela minha mente: eram pensamentos de dor, de amor, de temores, de esperanças e de conforto.

---

[1] Quinta-feira, 8 de junho de 1899, oitava de *Corpus Domini* e vigília da festa do Sagrado Coração de Jesus.

[2] Quanto maiores os favores que Deus concede a uma alma, tão maior é o conhecimento que lhe dá de sua própria indignidade e miséria. É este um dos sinais para distinguir os verdadeiros dons celestes de seus contrapostos diabólicos, como o próprio Jesus se apieda a revelar a Santa Margarida M. Alacoque: "Disse-me – assim ela escreve – que depois de recebidas algumas dessas informações divinas, das quais tão indigna é a alma, me sentirei imersa em um abismo de destruição e de confusão do meu espírito, onde a dor será tão forte, doravante minha indignidade, quanto será suave o conforto concedido da benevolência do meu Salvador, afogando, assim, cada uma de minhas complacências e cada sentimento da minha predileção" (*Vita della beata Madre Margherita Maria Alacoque, scritta da lei stessa*, Trento, 1899, p. 280).

Ao recolhimento interno, sucedeu rapidamente a perda dos sentidos, e eu me encontrei defronte à minha Mamãe celeste, que tinha, à sua direita, meu anjo da guarda, que, antes de tudo, me mandou recitar o ato de contrição.

Depois de terminar, a Mamãe me disse estas palavras: "Filha, em nome de Jesus, sejam perdoados todos os seus pecados". E depois disse: "Jesus, meu Filho, a ama tanto e quer conceder-lhe uma graça; será que você saberá como ser digna disso?". A minha miséria não sabia o que responder. Adicionou ainda: "Eu serei sua mãe, você se mostrará minha verdadeira filha?". Abriu o manto e com ele me cobriu.

Naquele instante apareceu Jesus, que tinha todas as feridas abertas; mas de suas feridas não saía mais sangue, saíam como chamas de fogo, que num momento só vieram tocar as minhas mãos, os meus pés e meu coração. Senti-me morrer, caí no chão; mas a Mamãe me socorreu, cobrindo-me sempre com seu manto. Por várias horas fiquei naquela posição. Depois, a minha Mamãe me beijou na testa, e tudo desapareceu, e me encontrei de joelhos no chão; mas eu ainda sentia uma dor forte nas mãos, nos pés e no coração.

Levantei-me para ir para a cama, e reparei que, daquelas áreas onde me doía,[3] saía sangue. Cobri-me o melhor que pude e, depois, ajudada pelo meu anjo, subi na cama. Aquelas dores, aquelas penas, em vez de me afligirem, me deixavam em perfeita paz. Pela manhã, pude ir fazer a comunhão, e vesti

---

[3] *Mi sentiva,* expressão luquesa para "me doía".

um par de luvas, para esconder as mãos. Não aguentava ficar em pé; a cada momento achava que ia morrer. Aquelas dores ficaram comigo até as três horas da tarde de sexta-feira, festa solene do Sagrado Coração de Jesus.[4]

Essas coisas, eu deveria dizer primeiro ao confessor, mas, em vez disso, fui me confessar com ele várias vezes sem mencioná-las; ele me perguntava várias vezes, mas eu respondia sempre que não.

---

[4] O prodígio dos estigmas aconteceu na Via del Biscione, n. 13, 1º andar, onde, então, Gemma morava com a família. A rua hoje se chama Via Santa Gemma Galgani. Aproveitamos a ocasião para recordar as várias casas onde morou a Santa em Lucca. Encontramo-las registradas no processo apostólico, em um documento escrito pelo irmão, Guido, na data de 9 de janeiro de 1909: "As casas que habitamos em Lucca foram as seguintes: 1) o 2º andar do nº 17 na Via dei Borghi, propriedade dos Lupi; 2) o 2º andar do nº 44 na Via dei Borghi, propriedade dos Casentini; 3) a casa inteira do nº 68 da Via dei Borghi, propriedade dos Galgani; 4) o 3º andar da casa nº 5 da Via degli Angeli, propriedade dos Ospedale; 5) o 1º andar da casa nº 10 da Via San Giorgio, propriedade do conde Sardini; 6) o 3º andar da casa nº 6 da Via del Biscione, propriedade dos (?)" (*Proc. apost.*, fol. 981-982). Nos últimos anos, então, esteve hospedada na casa do Sr. Matteo Giannini.

37. Os estigmas se repetem

Passou-se muito tempo, e a cada quinta-feira, por volta das oito horas, ou antes, eu sentia as mesmas dores. A cada vez que me acontecia, eu sentia primeiro uma forte dor pelos meus pecados, que doía mais do que as dores das mãos e dos pés, da cabeça e do coração. Essas dores dos meus pecados me reduziam a um estado de tristeza terrível. Porém, mesmo com essa grande graça de Deus, eu não melhorava nada, a cada dia eu cometia inúmeros pecados, desobediências, nunca era sincera com o confessor e sempre lhe escondia alguma coisa.[1] O anjo várias vezes me avisava, dizendo que iria embora e não voltaria, se eu continuasse daquela maneira; eu não obedeci e ele foi embora, ou melhor, se escondeu por muito tempo.

---

[1] A Santa, vale a pena repetir, se acusa de não ter sido sincera ao manifestar ao confessor os dons de Deus, o que não faz com seus pecados, os quais conta espontaneamente, engrandecendo-os.

38. Ardente desejo do claustro – Conforto e reprovações de Jesus

Nessa época, no entanto, o desejo de fazer-me monja estava sempre aumentando. Eu o dizia ao confessor, que me dava, quase sempre, respostas pouco consoladoras. Eu desabafava com Jesus, e uma manhã, [na qual] mais do que nunca eu sentia esse desejo muito forte, Jesus me disse: "Ó filha, do que tem medo? Esconda em meu coração esse desejo, que do meu coração ninguém poderá tirá-lo". Jesus me disse isso, porque era cada vez mais forte essa obsessão de ir para o convento para unir-me sempre mais a Ele, e temia que alguém me tirasse essa vontade; mas Jesus prontamente me consolou com essas palavras, as quais não mais esqueci.

Jesus nunca deixava de se fazer sentir e ver, especialmente quando eu estava aflita. Certo dia (para o qual chamo atenção), eu tinha levado uma bronca de meu irmão, como sempre merecida, porque saía em cima do horário para ir à Igreja. Além desse ocorrido, havia uma ou outra coisinha que eu também tinha merecido, e eu me lamentava. O meu Jesus ficou por pouco tempo e me reprovou com certas palavras que me feriram de verdade. "Filha – disse-me –, você também está tentando aumentar as penas do meu coração? Elevei você ao posto de minha filha, a honrei com o título de minha serva, e agora, como se porta? Filha arrogante, serva infiel. Feia!"

Aquelas palavras me marcaram tanto o coração, que Jesus, depois daquela vez, acrescentou novas cruzes, e sempre me deu a força de agradecer, e não mais me lamentar.

Uma reprovação ainda maior me fez Jesus certa vez com estas palavras, que mais tarde compreendi serem de fato verdade, mas naquele momento não entendi nada: "Filha, você é muito reclamona nas adversidades, muito indecisa nas tentações e muito tímida no controle das afeições. Eu não lhe peço senão amor: amor nas adversidades, amor nas orações, amor nas dificuldades, amor em todas as coisas. E diga-me, filha, pode me negar que seja justa a recompensa e pouco o pagamento?". Não tive palavras para responder a Jesus: meu coração se acabava em dor. Falei algumas palavras das quais me recordo: "Meu coração – disse-lhe –, ó Jesus, está pronto a fazer qualquer coisa, está pronto para se acabar em dor, se você quiser. Meu Deus! E...".

39. As santas missões em São Martinho

Passou-se o mês de junho, e no final deste começaram as santas missões em São Martino. Sempre preferi deixar de lado essas missões para assistir às pregações do Coração de Jesus.[1] Enfim, estas terminaram, e comecei a ir às pregações em São Martinho[2]. Qual não foi minha impressão ao ver aqueles sacerdotes pregarem! Não sei descrever! A impressão foi maravilhosa, porque reconheci neles o hábito com o qual eu tinha visto o coirmão Gabriel, na primeira vez em que o vi. Senti um carinho especial por eles, tanto que daquele dia em diante não perdi nenhuma pregação.

Estávamos no último dia das santas missões, todo o povo estava reunido na igreja para fazer a santa comunhão geral. Eu também, entre tantos, participei, e Jesus, a quem agradou muito isso, se fez sentir muito bem em minha alma e me perguntou: "Gemma, lhe agrada o hábito com o qual está vestido aquele sacerdote?" – e me indicou um passionista que estava a poucos metros de mim. A Jesus, eu não precisava responder com palavras: meu coração já falava com suas palpitações. "Você se alegraria (adicionou Jesus) tam-

---

[1] Na igreja da Visitação.
[2] As santas missões tomaram lugar na igreja metropolitana de São Martinho, do dia 25 de junho ao dia 9 de julho de 1899, e foram conduzidas pelos padres passionistas Gaetano, Adalberto, Callisto e Ignazio. Abençoados por Deus, alcançaram grandes frutos.

bém em ser vestida com o mesmo hábito?" "Meu Deus!", exclamei... "Sim – continuou Jesus –, você será uma filha da minha Paixão, e uma filha predileta. Um desses filhos será seu pai. Vá e revele tudo..." E aquele indicado por Jesus reconheci ser o padre Ignazio.

Obedeci, de fato. O dia[3] (que era o último das ditas missões) se passou, mas, por mais que me esforçasse, eu não conseguia falar das minhas coisas. Em vez de falar com padre Ignazio, corri a falar com o padre Gaetano, ao qual falei fortemente[4] de todas as coisas ocorridas em tempos passados das quais já falei. Ouviu-me com infinita paciência e me prometeu que, na sexta-feira após as missões, voltaria para Lucca e faria de tudo para me confessar. Ficamos dessa forma. Passou uma semana e pude confessar-me de novo com ele, e isso continuou por diversas vezes.

Naquele tempo, e por meio desse sacerdote, conheci uma senhora,[5] a qual até então é um amor de mãe para mim e a quem sempre amei como tal.

---

[3] "O dia", ou seja, a tarde, segundo o linguajar popular.
[4] "Fortemente", aqui significa: com força e violência.
[5] A Sra. Cecilia Giannini.

40. Os três votos

O motivo pelo qual eu ia me confessar com aquele sacerdote era um só: o confessor ordinário várias vezes me havia proibido de fazer os três votos, de castidade, obediência e pobreza, porque, enquanto eu estivesse no mundo, seria impossível cumpri-los. Eu, que sempre desejei fazê-los, acolhi aquela chance, e foi a primeira coisa que lhe pedi, e logo me permitiu fazê-los, de cinco de julho até a festa solene do oito de setembro, e naquele dia eu os renovaria. Fiquei muito feliz com isso. Aliás, isso foi para mim uma das minhas maiores alegrias.

Já cansada desse sacerdote e com minha grande vergonha, lhe revelei cada coisa: de todas as graças em particular que o Senhor me havia feito, das visitas frequentes do anjo da guarda, da presença de Jesus e de algumas penitências, que, sem a permissão de ninguém e apenas da minha cabeça, eu fazia todos os dias. A primeira ordem foi de parar com tudo. Além disso, quis alguns dos instrumentos que eu usava;[1] depois disso, esse sacerdote me falou abertamente e me disse que ele próprio não poderia me dirigir, e era preciso que eu falasse com meu confessor.

---

[1] Dentre as anotações do padre Germano, encontramos assim anotado sobre as penitências de Gemma: "Andava descalça, ou seja, sem meias durante o inverno. Carregava um chicote, até que lhe foi proibido. O padre Gaetano tomou dela uma corda cheia de bolinhas, da qual ela era feita. Eu lhe tomei outra corda com nós e uma régua de ferro".

Eu não queria concordar com isso, porque previa já uma bela discussão, e o perigo de ser abandonada pelo monsenhor por minha pouca sinceridade e fidelidade a ele. Não queria nenhum trato, não queria revelar por nada o nome do confessor, dizendo que não o conhecia, e não me lembro bem nem se inventei um nome falso.[2]

Mas essa armadilha não funcionou por muito tempo. Com minha vergonha, fui descoberta. Padre Gaetano soube que meu confessor era o monsenhor, mas não podia falar com ele se eu não permitisse. Enfim, depois de o fazer inquietar-se, dei-lhe [a permissão], e os dois entraram num acordo. Do monsenhor consegui a permissão de ir me confessar com aquele sacerdote, e não brigou comigo, como eu bem merecia. Então lhe falei dos votos feitos e ele também os aprovou, e aos três já nominados me fez adicionar mais um: *sinceridade ao próprio confessor*. O confessor me mandou esconder-me e não falar a ninguém das minhas coisas, apenas a ele.

---

[2] Não querendo revelar o nome do confessor, a Santa disse que não o conhecia, utilizando uma restrição mental facilmente sugestiva (*late dicta*, como dizem os teólogos), e, por isso, lícita. Quanto à mentira, ao inventar um nome falso, a Santa diz: "não me lembro bem"; por isso, nós, conhecendo seu estilo, de multiplicar e engrandecer seus pecados, podemos entender que ela não disse essa mentira.

41. Visita do médico em vão – Lamentações e reprovações de Jesus

No entanto, as coisas das sextas-feiras continuavam, e o monsenhor pediu a um médico para vir me visitar sem que eu soubesse, mas o próprio Jesus me veio avisar, e me disse: "Diga ao confessor que, na presença do médico, não farei nada daquilo que ele deseja". Por ordem de Jesus, avisei ao confessor; mas ele fez do seu modo, e as coisas se encaminharam tal como Jesus havia dito, e como você já sabe.[1]

Meu papai, a partir daquele dia comecei uma nova vida, e aqui eu podia dizer tantas coisas, mas se Jesus quiser, direi apenas a você (em confissão).

Eis a primeira e mais bela humilhação que Jesus me deu: apesar de minha soberba e meu amor próprio se ressentirem, Jesus, em sua infinita caridade, continuava com suas graças e seus favores. Um dia, disse-me amavelmente (porque, meu papai, Jesus me disse estas palavras, e as direi somente a você, mas talvez você as entenda sem que eu as explique): "Filha, que posso dizer, se você, em suas fraquezas, em suas aflições, nas suas adversidades, de todos se lembra, menos de mim; a todos recorre para ter um pouco de alívio e conforto, menos a mim?".

Meu papai, você entendeu? Justa reprovação de Jesus, e que compreendi ter merecido; mesmo assim, continuei

---
[1] Ver as notas sobre o segundo êxtase e a quinta carta ao confessor.

fazendo as coisas de sempre, e Jesus de novo me repreendeu dizendo: "Gemma, acredita que não guardo mágoa, quando você, em suas maiores necessidades, prioriza objetos em meu detrimento, os quais não podem lhe oferecer a consolação que precisa? Eu sofro, filha, quando vejo que você se esquece de mim". Essa última bronca me bastou, e me ajudou a distanciar-me de todas as criaturas para me voltar ao Criador.

42. O padre Germano

Tive de novo a proibição do confessor de todas as coisas extraordinárias das sextas e quintas, e Jesus obedeceu um pouco, mas depois voltou como de costume e mais forte do que anteriormente. Fiquei com mais medo ainda de revelar [ao confessor] essas coisas, e ele me disse que, se Jesus não lhe fizesse ver as coisas claramente, ele não acreditaria em tais fantasias. Não perdi tempo, fiz, no mesmo dia, uma oração especial a Jesus no sacramento por essa intenção, e eis que, como frequentemente me acontecia, senti recolher-me internamente e bem depressa [veio] a perda dos sentidos. Encontrei-me diante de Jesus, mas não estava sozinho: tinha perto de si um homem com os cabelos brancos; o hábito, reconheci ser de um sacerdote passionista; tinha as mãos unidas e rezava, rezava calorosamente. Observei, e Jesus me disse estas palavras: "Filha, você o reconhece?". Respondi que não, como era verdade. "Veja – continuou –, aquele sacerdote será o seu diretor, e será aquele que reconhecerá em você, mísera criatura, a obra infinita da minha misericórdia".

Depois de ocorridas essas coisas, não pensei mais nisso. Um dia, por acaso, vi um pequeno retrato: era justamente aquele sacerdote que eu tinha visto diante de Jesus; o retrato, no entanto, se parecia pouco com ele. A união íntima em oração com ele, meu papai, começou desde então, da primeira vez em que o vi em sonho diante de Jesus. Quis, dessa hora em diante, tê-lo comigo, mas, por mais que o desejasse, me parecia que seria impossível. Rezei, e comecei até agora a rezar várias vezes ao dia, e depois de vários meses, Jesus me consolou e o fez vir.¹ Agora chega de falar, porque daqui em diante me conheceu e já sabe de tudo.

N.N.[2]
Gemma

---

[1] O padre Germano, a quem Gemma escreveu a primeira carta no dia 29 de janeiro de 1900, foi para Lucca no começo de setembro daquele mesmo ano.

[2] O que a Santa quis dizer com essas duas letras, escritas de forma um tanto obscura, não sabemos. Talvez fossem para substituir a assinatura, mas depois acabou por adicioná-la.

Sumário

	Apresentação	5
1.	Ao meu papai, que o queime imediatamente	10
2.	Primeiras lembranças – mamãe	12
3.	A crisma (1885) – A mamãe no Paraíso (1886)	14
4.	Em San Gennaro, com o tio	16
5.	Na escola das Zitinas – Primeira comunhão (1887)	18
6.	Os propósitos da primeira comunhão	23
7.	Entre os pobres – Nova conversão	25
8.	Em família com as tias	27
9.	A boa professora	29
10.	Exercícios espirituais de 1891	30
11.	Meditando a Paixão de Jesus	32
12.	A preferida do papai – O irmão Gino	34
13.	Adeus à escola – Os ornamentos de uma esposa do Crucificado	35
14.	Desejo do céu	37
15.	Amar a Jesus e sofrer com Ele	38
16.	A doença nos pés	40
17.	Os primeiros votos	42
18.	O ano tão sofrido (1897): a morte do papai	43
19.	Com a tia de Camaiore – Retorno a Lucca (1898)	44
20.	Doença mortal (1898-1899)	46
21.	O conforto do anjo	49
22.	São Gabriel da Virgem Dolorosa	51

23.	Cura milagrosa (3 de março de 1899)	55
24.	A ternura de Jesus	58
25.	Fome eucarística	59
26.	Com as salesianas	60
27.	Semana Santa de 1899	61
28.	O anjo da guarda: mestre e guia.............................	62
29.	A primeira Hora Santa – Jesus Crucificado	63
30.	Sexta-feira Santa (31 de março de 1899)................	65
31.	Uma reprovação severa de Jesus.............................	67
32.	Sede de amor e de sofrimento.................................	68
33.	"Aprenda como se ama"	69
34.	No mosteiro das salesianas......................................	71
35.	Retorno à família – Saudades do claustro e esperanças desiludidas...	75
36.	Uma graça imensa: os estigmas...............................	77
37.	Os estigmas se repetem..	80
38.	Ardente desejo do claustro – Conforto e reprovações de Jesus..........................	81
39.	As santas missões em São Martinho	83
40.	Os três votos	85
41.	Visita do médico em vão – Lamentações e reprovações de Jesus	87
42.	O padre Germano..	89